D1253455

Hijos de la luna

RAQUEL HEREDIA

PLAZA & JANÉS EDITORES. S.A.

Primera edición: septiembre, 1999

Printed in Spain – Impreso en España

ISBN: 84-01-37644-0
Depósito legal: B. 27.355 – 1999

Fotocomposición: Víctor Igual, S. L.

Impreso en Printer Industria Gráfica, s.a.
Sant Vicenç dels Horts (Barcelona)

L 3 7 6 4 4 0

A mis hijos Gonzalo, Beatriz y Mónica; a mi nuera Ana; mi yerno Luis; a mis nietos-hijos Hugo y Nacho y a los otros tres: Jorge, Celia y Lidia, con el deseo y la esperanza de que entiendan mi comportamiento y comprendan que las madres, en general, tenemos, como decía la mía, el corazón grande «como una casa de huéspedes»; a mis especiales amigos y consejeros Javier Oliver, S. J., y a don Joaquín Ferrer, teólogo y filósofo; a mis queridas y siempre fieles amigas: Pilar U., María T., Carmen G. P., Marisa P., Isabel S. y Milagros I., y para algunos amigos supervivientes de la vanidad, la avaricia, la ambición, el orgullo y de su propia realidad en el tiempo pasado y en el presente, así como a los lectores que han hecho posible el éxito de mi anterior libro *La agenda de los amigos muertos,* que a un año largo de su publicación siguen llamándome, escribiéndome y pidiéndome consejo cuando se encuentran en situaciones semejantes a las que yo viví y relato. Y, finalmente, a mis queridos editores y compañeros en este último año que ha significado mi renacimiento: Juan Pascual —un director general, joven, humano y único—; a Carmen Fernández de Blas, editora en Madrid y ahora también, además de compañera, amiga; David Trías y a todo el equipo de Prensa y Relaciones Públicas, además de a Manu Arteche y Ana Cuatrecases, que aunque ya no estén en el equipo de la editorial siguen en el de mis amigos; al irrepetible Rafael Borrás, Ana María Moix, la magnífica poeta y responsable de poesía de Plaza & Janés y a algún otro que quizá deje en el tintero, así como a los comerciales y a los que me acompañaron en mi gira de promoción por toda España.

Y, para terminar, a todo el entorno cotidiano de mi barrio madrileño de Salamanca, una gran familia para mí que me ha arropado, comprendido y aguantado desde hace muchos años... Casi medio siglo, ¡vaya!

Espero seguir con todos vosotros por lo menos otro medio...

LA AUTORA

A modo de prólogo

Como les diría a mis nietos: mi amigo fray Luis de León, poeta y escritor, nacido en Belmonte, Cuenca, en 1527, y muerto en Madrigal en 1591, de noble e hidalga familia manchega, educado en los agustinos y luego, agustino, conflictivo para la época por sus conocimientos e inteligencia y su condición religiosa, autor de una oda que empieza así: «¡Qué descansada vida / La del que huye del mundanal ruido...»

Autor también, entre otras muchas, de una obra, *La perfecta casada* —guía de la esposa ideal para aquellos tiempos y aún hoy para muchos matrimonios—, y que pronunció la famosa frase: «Decíamos ayer...» al salir de prisión y recobrar su cátedra de lectura en la Universidad de Salamanca y que, por ser de siempre uno de mis autores de cabecera, por el que siento gran admiración y me ha guiado en mis quehaceres como mujer, como esposa, madre y escritora, me inspira al escribir estas páginas porque también yo, al hacer mi *rentrée* en el mundo de las letras, después del largo paréntesis que acabó con la muerte de mi querida hija Ada, digo como él: «Parece que fue ayer...»

El 23 de diciembre de 1998 se cumplieron cuatro años del fallecimiento del marido de mi hija y padre de mis nietos. Lo enterraron en el panteón familiar del cementerio de la Almudena de Madrid al día siguiente, Nochebuena, a las nueve y media de una mañana heladora —y valga la expresión porque había nevado las noches anteriores en la sierra de Guadarrama—, en la que hacía ese frío, típicamente madrileño —cielo azul intenso y sol, como en los paisajes velazqueños— que hace que, como dicen los castizos madrileños, «se hiele el moco». Bien. Mi hija Ada, ya su viuda, estuvo a punto de caer al suelo, porque había llegado a casa de madrugada, sabiendo ya que la muerte era inminente y no le dio tiempo casi de cambiarse de ropa... Era, como ella decía, la Luna; todo en su vida sucedía de noche y a su luz azulada y mágica habían sucedido casi todas las cosas, buenas y malas, de su vida.

Los hijos, mis nietos, Hugo y Nacho, ya estaban en mi casa desde hacía unos meses y habían empezado, ¡alabado sea Dios!, en su nuevo colegio, los jesuitas de Serrano, después de haber recorrido, con diez y ocho años, respectivamente, más de una decena de centros por los pueblos cercanos a Madrid. Siguen yendo al mismo colegio y ahora, cuando este libro esté en la calle tendrán quince y trece años; viven en la misma casa, la mía, la de su abuela, lo que no les había sucedido antes; van al mismo colegio y se encuentran cada principio de curso con los compañeros, que ya se van haciendo antiguos. Alguien podrá decirme: «Normal...» Sí, normal para las familias llamémoslas normales, pero no para ellos, nómadas a la fuerza y sin raíces. Desde luego, esta «normalidad» les ha ayudado en su estabilización como personas, y así lo reconocen sus educadores, de lo que me siento orgullosa.

Ada, mi hija mayor, murió trece meses después, una tarde-noche del 24 de enero de 1996 (con la Luna que era ella misma). En realidad, desde que falleció Nacho, su marido, decidió que quería irse con él.

Un par de meses después, Nacho hijo, Nachete, una mañana muy temprano —nos levantamos entre las siete y las siete y media durante el curso—, mientras desayunaban, me dijo, mirándome con sus preciosos e insondables ojos azules como el Mare Nostrum: «Abuela, ¿estamos muy tristes, verdad?... Pero... también, muy tranquilos...»

Los niños, que son como el oráculo de la verdad de la vida, siempre la dicen, y Nacho tenía razón, estábamos muy tristes por la inexplicable y terrible muerte de sus padres, tan jóvenes, tan guapos, tan llenos de vida, pero... ¡era cierto!, y ninguno de nosotros se había atrevido a decirlo: ¡tan tranquilos!

Han pasado casi cuatro años, o al menos cuatro cursos, y en diciembre del 98 dejo pendiente otro libro con el que llevo más de seis meses y me pongo «a toda máquina» a escribir esta segunda parte de la *Agenda*, que titulo *Los hijos de la Luna*, porque en realidad es la historia en este período de tiempo, de los hijos de Ada-Luna, que me piden cada día todos mis lectores, para corresponder a su amabilidad y con el agradecimiento de que me hayan sacado del paréntesis de los veinte años que relato en el anterior.

Desde mi casa, en la cual trabajo, peleándome con la informática, que me juega malas pasadas, como perderme en el último momento —el de entregar—, casi doscientas páginas a las que he dedicado los últimos treinta días del pasado año. Es mi vida actual, la que llevo desde que, hace ya un año, salió a la luz la *Agenda* y mi experiencia de abuela-madre, a una edad en la que empiezan los achaques, los dolores matutinos producidos por la artrosis, el insomnio y aguantar el día a día de unos muchachos nuevos, ya adolescentes, que «tiran» mucho y con fuerza pero a los que doy las gracias porque sólo a ellos debo las energías renovadas que acuden a mi cuerpo cada mañana y que me permiten adaptarme a su ritmo y recordar tan sólo los acontecimientos agradables del pasado y revivir las vivencias positivas que viví con mis hijos cuando ellos tenían su edad y yo la mitad de la actual.

Y aquí añado que a lo largo de este año he conocido a muchas abuelas/os en mi situación, con menos fortuna que yo, por falta de formación, a los que puedo ayudar con mis experiencias, y de ello tengo constancia por las llamadas y cartas que llegan hasta mí a diario desde todos los rincones de España para pedirme información de cómo resolví tal o cual pega legal o vivencial, simplemente.

Lo que soy para mis nietos lo resumió el mayor, Hugo, ante unas cámaras de televisión que llegaron hasta nuestra casa para hacer un reportaje de la situación: «¿Qué es mi abuela para mí? Todo: mi padre, mi madre, mi abuela y mi abuelo... ¡Lo es todo!»

Soy, en definitiva, queridos amigos lectores, la abuela más inteligente, más joven, más elegante y más «guay» —incluso más que muchas madres de sus compañeros de colegio, supuestamente mucho más jóvenes que yo—, pero... para mis nietos, ¡claro! Mi paso —cansado y decepcionado, triste por la pérdida de una hija e intentando salvar a la menor de los cuatro, tocada por el mismo mal que su hermana y madrina Ada, la puta droga—, se ha aligerado; me he calzado unas deportivas y un chándal y, aunque no corra, ando ligera como en un maratón, para seguirlos o aunque sólo sea para no perderlos de vista.

Ellos son los protagonistas de las páginas de este supuesto diario, muy parecido al que escribía en la adolescencia, y en mi etapa de madre-padre, que siempre me ha tocado ser bicéfala, recordando aquella época para revivirla en ellos sin que me resulte necesario echar mano de nota alguna. Son mis vivencias de muchos días de adaptación. Pero en realidad, a ellos, a Nacho, a Hugo, y también a mis otros nietos: Jorge, Celia y Lidia, les dedico este libro. Los tres últimos saben que si me necesitan —¡ojalá nunca como sus primos mayores!—, yo soy la abuela adaptable —abuela-madre, abuela de lujo o abuela acogedora—, a gusto del nieto consumidor.

Ahora, al cabo de este tiempo, puedo decir que me siento orgullosa de estos «jenízaros» —Hugo y Nacho— que, como la policía rumana meten sus naricillas en todo, lo rompen todo con su curiosidad ávida y adolescente, y que, como mis hijos a su edad, no me dejan dormir, ni soñar... Que crecen y crecen y usan zapatillas y chándales que cuestan medio salario mínimo interprofesional, que o los rompen a los dos días o les quedan pequeños en dos meses...

I

Legalizar la situación

¿Cómo que legalizar la situación? A mí me parecía que estaba muy clara: mis nietos, Hugo y Nacho, los hijos de mi hija Ada y de su marido, ahora huérfanos absolutos y que vivían de forma permanente en mi casa desde año y medio antes de la defunción de mi hija, que no tenían más abuela/o que yo, porque los paternos habían fallecido con anterioridad, y mi cónyuge legal desaparecido hacía nada más y nada menos que veintinueve años —la edad de mi hija menor, Mónica, que tenía seis meses cuando su padre se fue y nunca más volvió (como en la letra del tango argentino *Caminito*)—, por si fuera poco, su madre, mi hija, viuda legítima de su padre, mi yerno, me los había otorgado en testamento legal ante ilustre notario de Madrid, eran, pensaba yo, mis nietos-hijos o a modo de... Al menos yo así los sentía y creía que la situación era clara, ¡pero no!, en cuanto tuve que meterme por necesidad en la intrincada selva de la Administración, para algo tan sencillo —pensaba— como solicitar sus pensiones de la Seguridad Social, o una beca de ayuda de comedor, ya que el colegio al que iban —y van, ya por cuarto año consecutivo: el Escolanía Mater Amabilis de los jesuitas de la calle de Serrano—, era de los concertados, es decir, de los de enseñanza gratuita pero comedor de pago, así como las actividades, supe que tenía que hacer un procedimiento legal que acreditara que yo, su abuela materna, la única, ya que el que fue padre de mis hijos y mi marido ante Dios y los hombres, tiene tan mala memoria —como dice mi nieto Jorge de siete años—, que con lo cerca y céntrico que vivo no sabe encontrar mi casa, era la tutora legal.

Y a ello hube de entregarme durante el primer año posterior a la muerte de mi querida Ada, olvidando mi pena y la miseria económica en que me encontraba, teniendo que subsistir, ellos y yo, de un exiguo sueldo oficial que me queda de mi último trabajo fijo como periodista, cuando los políticos decidieron cerrar una serie de medios de comunicación y convertirnos a los profesionales que trabajábamos en ellos en «personal laboral fijo», sin opción de optar al ilustre y distinguido funcionariado —y sobre todo, bien remunerado—, de distintos departamentos ministeriales.

A mí, como a otros tantos compañeros con los que habíamos ejercido la profesión periodística por libre durante los años del régimen anterior, que habíamos batallado por las libertades, como lo demuestra mi currículum, y brillado y trabajado con luz propia, sin cortapisas, en todos los medios informativos, y que, como en mi caso y por mi situación de «abandonada» —ni siquiera divorciada, ni viuda honorable—, había podido sacar adelante con toda dignidad a mis cuatro hijos —he de puntualizar que trabajaba más de catorce horas diarias y mi firma y mi nombre eran, como se dice ahora, famosos y cotizados—, y porque la Administración y las leyes o decretos me hicieron fija, casi simultáneamente, en dos medios de comunicación, entonces estatales, algo que nunca solicité por no convertirme en pluriempleada administrativa; ejerciendo un trabajo de subalterna que nada tenía que ver con la hermosa profesión que había elegido desde muy joven, por vocación...

¡En fin!, ésta era la situación, y yo, que siempre he tenido como norma «coger al toro por los cuernos» y no perderme en divagaciones inútiles sobre mi mala suerte o la influencia de los astros a la hora de mi nacimiento, conseguí al año, más o menos, de recorrer dependencias oficiales, de perderme en laberintos que terminaban ante ventanillas con horario fijo y donde todos los documentos —partidas de matrimonios, de defunciones, certificados de estudios, acreditación de salario fijo, situación económica y solvencia moral, etc.—, una vez pagados y sellados, tenía que volver a recogerlos el día que el funcionario de turno me daba apuntado en un resguardo, nos encontramos mis nietos, Hugo y Nacho, de doce y diez años, la abuela —quien esto escribe—, un familiar por parte del padre y otro por parte de la madre, designados por mí y aceptados por el juez/jueza del juzgado de Familia que nos tocó en suerte, y fui, oficialmente, la tutora y responsable de mis nietos, apoyada, digamos, y en razón de mi edad, por un familiar, en este caso dos tías abuelas paternas de los chicos, y mi hijo Gonzalo, ahora el mayor de los cuatro que fueron, casado desde hace seis años con Ana, su novia de siempre, y padres de mi nieta Celia, mi ahijada de pila bautismal...

¡Uff!, me canso sólo de contarlo. En realidad, no fue un año completo, porque de los doce meses, más de cuatro me los pasé encerrada en mi cuarto, presa de una profunda depresión, intentando buscar una explicación al hecho de sobrevivir a una hija, sin encontrar, aunque la buscaba, la luz que a ella, en sus últimos años, la llevó de nuevo a la fe en Dios. Para mí, por desgracia, Dios, como dije en un poema hace muchos años, «siempre que le llamo, comunica»; aunque he de decir que gracias a mis buenos amigos Javier Oliver, S. J., director del colegio de los chicos, y a don Joaquín Ferrer, teólogo y filósofo, ahora logro hablar con Él alguna vez...

Cuando conseguí el fin de tanto esfuerzo, la tutela, me señalaron la obligación de rendir cuentas anuales a la jueza designada. Cuentas, no sólo económicas en lo que se refiere al empleo de sus pensiones (miserables por cierto), sino al estado de su salud física y psíquica.

El retraso, como me sucedió el pasado año, en el cumplimiento de este deber, aunque fuera debido a trabajo que redunda en beneficio de nuestra calidad de vida, me supuso una severa recriminación por parte del Ministerio Fiscal. De modo que esto de ser tutora implica más obligaciones que ser madre.

Durante los primeros meses, Hugo, el mayor, no se resignaba y seguía preguntándose: «¿Por qué a mí, por qué...?», y como no hallaba respuesta se dirigía a mí, que tampoco sabía qué contestarle. En el fondo era lo mismo que yo intentaba averiguar, sin conocer la respuesta. Se volvió huraño, despegado y respondón. Cuando alguno de sus tíos, a los que yo pedía ayuda, le reprendían o castigaban, se rebelaba, mascullando que una vez muertos sus padres nadie mandaba sobre él... Una vez que me lo dijo a mí, añadiendo un despectivo: «Tú no lo entiendes, abuela, eran mi madre y mi padre los que han muerto en trece meses...» Le respondí: «Quizá, Hugo, si alguien puede comprenderte y compartir tu dolor sea yo, porque era tu madre, sí, pero no olvides que era mi primera hija, la mayor, con la que soñé desde que era una niña...» Se nos saltaron las lágrimas y nos dimos un fuerte y largo abrazo. Desde esa mañana estuvo más unido a mí. Volvió a ser, como de pequeño, mi niño, mi «caballero de Madrid», al que yo, su dama, armé un día caballero con una capa de raso que era una falda, y una espada de plástico dorado como se hacía en las historias y cuentos que inventaba sobre la marcha mientras se los contaba y de los que, naturalmente, siempre era el protagonista. Recuerdo que no tendría más de dos años y medio cuando en una de las estancias en mi casa (desde que nacieron, cuando su madre se encontraba mal me los depositaba, por horas, por días o, a veces, por meses; siempre, y lo he repetido hasta la saciedad, fue una magnífica madre, aun en las peores épocas), me pedía permiso para escribir en mi máquina y el resultado eran páginas llenas de letras que luego yo tenía que leer, y como lo hacía literalmente, resultaba un extraño lenguaje de sonidos guturales que a él le hacían reír a carcajadas, añadiendo: «¡Qué gracioso, abuela, qué gracioso..., y... lo he escrito yo...!» Aquel año los Reyes Magos le dejaron, de mi parte, una máquina de escribir de juguete, pero que era prácticamente como la mía portátil, y como ésta era la que prefería, le hice la promesa formal de que se la dejaría en herencia, y sin necesidad de ello se la regalé al año siguiente cuando incorporé, por imperiosa necesidad, el ordenador.

Lo cierto es que ahora, a los quince años, sigue con su interés por las letras, destaca en los trabajos de literatura y, objetivamente, escribe bien y sin faltas de ortografía. Amparo, su tutora y profesora de Literatura, Música y Francés, una gran profesional de la enseñanza, que ama su trabajo y conoce muy bien a sus alumnos y tutelados, estará de acuerdo conmigo.

A Hugo, desde que era un bebé, le gustaba la música, que en mi casa es imprescindible. Siempre que pasaba unos días aquí, se sentaba en mi despacho, donde yo trabajaba, y me preguntaba con frecuencia por lo que estaba sonando: «Mozart, Beethoven, Bach, Mahler...», le respondía yo. «¡Ah!, claro, esto es de tu amigo Mozart —o Bach, o Beethoven—; ¿a qué sí?... También es mi amigo. Me lo ha presentado mamá...» Todos los hombres y mujeres importantes tenían que ser, a la fuerza, amigos míos, y una vez que estaba yo escribiendo una historia, *Hugo, un niño cercado de ausencias*, de la que, como siempre, él era el protagonista —vivían por entonces en Cercedilla—, le dijo a un amiguito que le visitó, hablándole de mí y de mi importante oficio de periodista y escritora: «Si estudias mucho y te portas bien saldrás en el libro de la abuela.»

Desde el primer día que el padre Oliver, director del colegio, conoció a Hugo y le oyó hablar, decidió que cantaría en el coro de la Escolanía Mater Amabilis. Ahí ha estado hasta que la voz le ha cambiado, porque es un coro de voces blancas... Por entonces ya vivían conmigo, así que una mañana muy temprano, mientras se preparaba en el cuarto de baño contiguo a mi dormitorio, para ir al colegio, creí que me había dejado puesto un disco, porque oí una parte del *Mesías* de Haendel, cantada en perfecto alemán por una preciosa y nítida voz. Me levanté y fui a ver por qué sonaba el disco si yo creí haberlo dejado fuera, y resultó que el que cantaba era Hugo. No sabía lo que estaba diciendo, y cuando yo le expliqué que cantaba en alemán, se sorprendió. Lo ignoraba, pero le interesaba saber qué significaban en español las palabras que cantaba; le leí la traducción que venía en la solapa del compact y le gustaron mucho.

Hugo es un niño inteligente, sensible, tímido e introvertido. Desde pequeño le enseñaron a mentir o a no decir la verdad, y como no es de natural embustero, prefería no contestar y tenía una habilidad impresionante para cambiar enseguida de tema de conversación. Sólo con mucha paciencia y destreza conseguía que me contara alguna cosa que no le gustaba, como por ejemplo que «el abuelo es malo; le dice cosas muy feas a mamá y quiere que se muera...». Yo siempre le respondía que las personas mayores a veces no entienden muchas de las cosas que pasan, y que eso era lo que le sucedía al abuelo.

Hay que entender este comportamiento en una persona de edad, conservadora y de clase media alta, que da por sentado que sus hijos son siempre buenos, aunque sean pésimos estudiantes, y que los malos son los demás. En este caso, la drogadicta, la perversa y la que le robaba e incitaba a su hijo a cometer felonías era mi hija... El pobre señor tardó muchos años en enterarse de que su hijo era drogadicto desde antes de conocer a Ada; poco antes de su fallecimiento me llamó pidiendo ayuda.

Apenas nos conocíamos y ambos teníamos una impresión pésima el uno del otro a través de lo que de nosotros contaban nuestros respectivos hijos. Le habían hecho un enorme «agujero» en una tarjeta-oro y se encontraba sólo con los dos niños, de muy corta edad y sin fuerzas para bregar con ellos. Ya antes, en ocasiones, llamaba a mi hija Mónica, a la que prefería de toda nuestra familia, para que fuera en su auxilio y de sus nietos. Me pidió que hiciera todo lo posible, que él me ayudaría, para pedir la patria potestad de los niños. El buen señor, que era abogado, estaba en leyes tan obsoleto como en el conocimiento de sus propios hijos, y tuve que explicarle que la ley del derecho de familia era relativamente nueva y ya no contemplaba ese término, sino el de tutela, pero que para ello había que, previamente, incapacitar a los padres...

«Si tú estás decidida, haremos lo que me digas. Tenme al corriente y estaré a tu lado. Porque mi hijo es una canalla, un canalla...»

Escenas y expresiones como ésta se las había oído a muchos padres que tardaron años en querer saber lo que hacían sus hijos y por qué sus cuentas corrientes mermaban y desaparecían los objetos de valor de su entorno y las casas se convertían en auténticos infiernos...

Hacía tiempo que yo estaba en este empeño de la tutela, en el que contaba con el apoyo de mi hija, pero mi yerno, con quien no me unían excesivas buenas relaciones, no quería ni oír hablar de ello, aunque en una ocasión logré que vinieran a vivir a mi casa —ya había muerto el padre—, que él me acompañara a un organismo que se llamaba IMAIN (Instituto Madrileño de Atención a la Infancia), creado por mi buena y antigua amiga Elena Vázquez, diputada socialista en la primera legislatura, y que por entonces había sido nombrada consejera de Acción Social y Sanidad del primer Gobierno autonómico de Madrid, presidido por Joaquín Leguina.

Mi yerno, que cuando quería sabía expresarse muy bien, después de hacer un pormenorizado relato de su situación como drogadicto, se mostró decidido a dar los pasos precisos para que yo fuera la tutora legal de sus dos hijos y a apoyarme en todo. Rellenamos los impresos necesarios y quedamos en volver, pero él nunca lo hizo.

A los pocos meses, y repuesto de la enfermedad oportunista que le había obligado a permanecer en mi casa, desapareció. Para entonces su padre ya había fallecido, pero antes había vendido su hermosa casa, próxima a la mía, influido por su hija, que apareció tras una larga ausencia acompañada de un nuevo marido, y comprado simultáneamente otra en un cercano pueblo de la sierra de Madrid. Y allí se fue también él con mis nietos, pero... sin mi hija, su mujer, con lo cual ella se quedó, como siempre, conmigo.

Recordé entonces que mi consuegro me llamó una mañana, pocos días antes de estos sucesos, para comunicarme la venta de su casa madrileña y la compra de la de la sierra, en la que formaría la gran familia con la que siempre había soñado, compuesta por sus hijos y sus nietos y en la que mi hija, madre de dos de ellos, no entraba. Hay que añadir —sin acritud—, que su hija Pilar ya le había buscado sustituta a mi hija, una amiga suya de dudosa reputación, divorciada y madre de tres hijos, a los que instaló en la casa de su padre. Ella, como nueva mujer del padre de mis nietos, y los otros tres niños, en un «totum revolutum», como nuevos... ¿hermanos, primos?

Es de suponer que la indignación de mi hija subía de tono cuando los veía aparecer a todos: a su «sustituta» vestida con sus/mis ropas, así como al resto de la familia (el padre, que ya había fallecido, si no había autorizado aquel «arrimonio» —como diría mi madre—, había hecho la vista gorda), y hasta el día del entierro acudió su marido con la otra y con su cuñada y consorte segundo, todos vestidos de «Jorge Juan»... Y venían a dejar a mis nietos para que pasaran el fin de semana con nosotras... ¡Muy duro!, ¿no?

Mes y medio después moría el buen señor de un ataque al corazón, después de haber gastado una gran fortuna en comilonas rodeado de su «gran familia»... Era un hombre enfermo, mayor, con un régimen dietético muy estricto y que desde que se jubiló vivía, según sus propias palabras, «en un sillón de orejas»... Sin comentario, aunque yo, con mi habitual sentido del humor negro, le decía a mi hija: «A tu suegro le han matado el aire puro, el cochinillo regado con rioja, las copitas de coñac francés y el habano.»

Pero ya por entonces, y a pesar de querer hacer la «gran familia», él era consciente de la cruda realidad de sus vástagos y redactó un testamento en el que nombraba herederos de todos sus bienes inmuebles —que no eran excesivos pero si considerables—, a sus cuatro nietos varones, y como la herencia era cerrada, la única nieta, póstuma, hija de su hija, Andrea, quedó fuera de la herencia. A los hijos, Nacho y Pilar, los designaba usufructuarios de los bienes. En la herencia también había algún dinero con el que estos, es decir Nacho y su hermana, vivieron a «cuerpo de reyes» durante poco tiempo, porque no era una fortuna.

Nacho era muy espléndido —yo siempre le decía que tenía un señor dormido dentro, pero que se despertaba muy poco— y nos obsequiaba a todos con comidas y caprichos, pero la felicidad, como en los cuentos infantiles, fue breve, no llegó a un año: nuevos colegios, otro pueblo, y el eterno cantar de una pareja de drogadictos.

En aquella armonía familiar no existían disensiones ni puntos de vista diferentes, empezando por la herencia; llegaron al acuerdo de que Pilar se quedara a vivir en la casa que el padre había comprado, con cuantos muebles, enseres y lo que había dentro, y su hermano cobraría las rentas de unos inmuebles...

El acuerdo duró dos pueblos más, dos nuevos «hogares» y

dos nuevos colegios para los niños. Hasta que murió mi yerno, que lo hizo sin testar, y su hermana, como única usufructuaria, decidió que ella disfrutaba de todo el usufructo de la herencia paterna. Hay que decir que por entonces ella se había quedado viuda y ya había conocido a su nueva pareja, con la que convivió durante cinco años. Tenía ya tres hijos, uno del primer matrimonio y dos del segundo.

Coincidiendo con el verano, Ada y su marido, unidos de nuevo y con sus hijos, a los que una vez más se llevó de mi casa, intentaron crear su último hogar, en un pueblo muy cercano al de la casa que el padre comprara y en la que quedaron, como habían acordado de palabra, Pilar y su nueva pareja con los dos hijos de su segundo matrimonio; el mayor, fruto del primero, se fue en cuanto conoció al nuevo compañero sentimental de su madre. Ya era un hombre.

Llevaban allí menos de dos meses, acababa de empezar el curso y a Nacho le sorprendió la última de sus enfermedades, con lo que la casa se quedó a medio poner y los niños en un nuevo colegio y solos, en un pueblo donde no conocían a nadie, porque Ada acompañó a su marido en la ambulancia que lo llevó al hospital, de donde saldría para su última morada.

Menos mal que el ángel de la guarda en la figura de Sonsoles, la hermana de un íntimo amigo de infancia y correrías de Ada y Nacho, se encontró a mis nietos a la salida del colegio cuando ella regresaba de Madrid de recoger al suyo, y me llamó inmediatamente a El Escorial, donde yo estaba en casa de mi hermano Rafael, y mi cuñada Rosario me llevó al instante —el pueblo estaba a pocos kilómetros— a recogerlos. La amiga, sin embargo, ya los había invitado a pasar el fin de semana en su casa, donde los niños quisieron quedarse por si regresaban los padres y se asustaban al no encontrarlos.

Gracias a ella, y con el curso recién empezado, mis nietos entraron en el colegio de los jesuitas de Serrano, donde iba y va su hijo Pedro. Gracias eternas, Sonsoles.

Es en este punto donde ya me empiezo a convertir en la segunda madre de mis nietos, porque mi hija, como yo le decía, «tiró la toalla» y decidió dejarse morir. El caso es que a los niños tuve que buscarles un tratamiento psiquiátrico y psicológico. Nacho, como siempre, dócil y ávido de conocer algo nuevo, fue encantado las veces necesarias. A Hugo lo llevé, casi a la fuerza, una primera y única vez.

Luego era yo la que iba a consultar con el doctor Alamán, que es un magnífico y competente psiquiatra infantil. Es el carácter de Hugo, a quien le molestaba tener que contar a un «extraño» algo que sólo le había producido terribles terrores nocturnos desde su primera infancia y que, afortunadamente, se le han curado. Daba miedo ver cómo huía por toda la casa, aún dormido, queriendo escapar... Ya su madre, cuando estaba bien, lograba despertarlo y calmarlo para que recobrara el sueño tranquilo, y luego yo, que le hice contarme sus pesadillas: huía de unos monstruos horrorosos que le perseguían para matarlo y comérselo... Yo hacía que los dibujara, para echarlos de sus sueños y que no volvieran.

No hace mucho, una noche de breve pesadilla que coincidió con un fuerte catarro con fiebre, se despertó y, una vez tranquilo, me dijo algo tan hermoso como que había soñado que estaba en el vientre de su madre, desde donde me veía por un agujerito, y que sabía que yo, la abuela, iba a ser su madre... Me emocioné.

Y Nacho, ¿cómo es?... No quiere crecer... No le gusta el mundo de los mayores; es ingenuo, pícaro y simpático; dibuja muy bien y con mucha imaginación, pero por todo ello y, consecuentemente, quitó una fotografía de su madre que yo les puse en el corcho de su habitación sobre el que pinchan sus recortes: fotos de futbolistas, chicas guapas —su novia ideal es Claudia Schiffer—; muy guapo y mediano, tirando a malo, estudiante. Más sociable que su hermano y bastante bruto desde su más tierna infancia. Cuando era un bebé pusieron un suelo nuevo en la cocina de mi casa que, según el solador, «era tan resistente como el acero»... Pues bien, Nacho, y ya digo que era un bebé que apenas empezaba a andar, se lanzaba en picado desde la mesa y logró, en pocos meses, hacer agujeros en aquel resistente material «como el acero», con su cabecita...

Visitante asiduo de las urgencias de traumatología ha llegado a tener roturas, esguinces y luxaciones varias al mismo tiempo y en el tiempo récord de un mes. Es muy simpático e ingenioso. Una de las muchas veces que fuimos a que le quitaran una escayola, lo que casi le produce espanto, porque cree que la rueda metálica le va a llegar a la carne, motivo por el que da tales gritos que acude todo el personal sanitario del centro, nos encontramos con una avería en la instalación eléctrica que había dejado a los aparatos inutilizados y nos mandaron a las urgencias del hospital donde estaba su traumatólogo. Total, que hasta allí nos trasladamos cuantos esperábamos y nos volvimos a ver. Había una señora con un pie escayolado que tenía tanto miedo como él. Entramos nosotros primero, y cuando salimos Nacho se dirigió a ella y, al despedirse, le dijo: «Creo que ha tenido suerte, señora, porque no está el doctor tal y en cambio hay uno muy joven de los de "la generación Paul Newman", como dice la abuela, que no me ha hecho ni pizca de daño»... La verdad es que era un chico muy guapo y muy simpático.

Nacho, ya adolescente, parece que se quiere un poco más y no se rompe tantos huesos, pero de vez en cuando le sale lo bruto que es y dice: «Tengo que romperme algo, hace tiempo que no llevo una escayola.»

Cuando murió su padre, el día de Nochebuena, es decir, en plenas vacaciones de Navidad, al regresar al colegio, y como un compañero le viera sentado durante el recreo y con lágrimas en los ojos, le preguntó si se encontraba mal.

—No, nada, es que mi padre se ha muerto hace poco y me acuerdo de él...

Lógicamente el otro chico se quedó extrañado, porque sabía que el padre era joven:

—¿En un accidente de coche?

—No —contestó mi nieto, con su habitual sinceridad—. Se ha muerto de sida.

¡Gran revuelo! El padre Oliver llamó para decírnoslo y rogarnos que le hiciéramos unos análisis de última hora. Como siempre, llamé a mi vieja amiga Encarna, funcionaria del hospital Gregorio Marañón, y una vez más —allí y durante diez años se les ha hecho a los dos sus pruebas, primero semestrales y luego anuales de VIH— ella y todo el personal del laboratorio materno-infantil, pero sobre todo Encarnita —hay tres Encarnas—, les han pinchado con todo el amor y esmero del mundo. Aquélla era una más...

En un principio me indigné con el colegio, o, puntualizando, con el A.P.A., que lo pedía, pero aconsejada por el padre Oliver me callé por el bien de los niños... A Nacho hubo que decirle que no fuera tan sincero, pues se trataba de una enfermedad que asustaba a los ignorantes... Y, claro, también explicarle el porqué. Su hermano le regañaba, le llamaba bocazas, y el pobre chico no entendía nada del jaleo que se había preparado por decir la verdad.

II

Orfandad absoluta: 34.470 pesetas; 3.000 pesetas de prestación, que pagan al semestre; tienen su D.N.I. y su tarjeta personal del INSALUD — El rumano — Fin de curso en el colegio — Campamento de las Navas del Marqués — Agosto en Maranchón: Nacho se rompe el radio del brazo izquierdo.

El panorama no era muy alentador por entonces. Me las veía y deseaba para sacar adelante la casa. Empecé a colaborar en un periódico que cerraron y que no pagó. Escribí de encargo la biografía de un político para una fundación; nunca vio la luz ni yo el dinero... En fin, la carga y la pena me abrumaban de tal manera que empecé a no desear vivir, a sentirme inútil y a pasar casi todo el día en mi habitación con la luz apagada. Me levantaba con el tiempo justo para arreglar la habitación de los niños, recoger su ropa, darme una ducha y prepararme para «salir a escena» a la hora en que ellos regresaban del colegio. No tenía ganas de vivir y continuamente me preguntaba, como Hugo: «¿Por qué ha muerto ella y no yo, por qué...?» La miraba en la fotografía que preside la cabecera de mi cama e intentaba hablar con ella, obtener la respuesta del más allá, pero nunca la recibía en forma de palabras. Sólo me motivaban los ojos inquisitivos de los niños y su deseo imperioso de vivir... Como en otros tiempos, aquellos niños que eran mis hijos; ahora estos, mis nietos, me hacían salir del abismo del dolor en el que estaba sumida.

Cierto es que algunas amigas/os que a diario me llamaban vinieron en mi auxilio, pero en definitiva fueron los ojos infantiles, la vital urgencia material en satisfacer sus necesidades, los que me imponían, no sólo seguir viviendo, sino elevar el listón y pasar de lo indispensable a lo superfluo, si así se le quiere llamar a algún capricho. Las pensiones de orfandad absoluta de los chicos, lo mismo que mi sueldo, eran miserables, rayando el umbral de la pobreza. Llegaba el verano y notaba más la falta de dinero. Los chicos me preguntaban adónde íbamos a ir y me encogía de hombros, porque no sabía qué contestarles. A finales de junio fue la fiesta de fin de curso del colegio. Ya el año anterior habíamos ido —Ada aún vivía—, y nos habíamos aburrido como hongos. Nuestros chicos no recibieron medallas, aunque pasaron de curso, intervinieron en los *sketches* y se divirtieron —no había más que verlos— con sus compañeros y profesores, que no hay que dejar atrás a Dodo, a Nica (Nachete, que sigue muy de cerca estas páginas, me pide una mención especial para este último, profesor de gimnasia, de matemáticas, tutor y lo que se tercie, que es un chaval muy joven, y sin embargo temido a ratos, que contribuye en su formación).

El día de la fiesta de fin de curso, así como en otras ocasiones puntuales, me doy cuenta de que en el colegio se halla la segunda gran familia de estos niños que han debido de estar custodiados desde su nacimiento por una legión de ángeles de la guarda, que los han protegido y los protegen. Entre ellos, todos los profesores del Mater Amabilis.

Aquel fin de curso, creo que antes, por las vacaciones de Semana Santa, Hugo estaba enamorado y tenía novia, Raquel... Conocí a sus padres, Puri y Paco precisamente por entonces, porque la niña también cantaba en el coro y las sesiones musicales de las fechas, jueves y viernes Santos, y sábado de Gloria, terminaban a horas tardías de la noche. El domingo de Resurrección, los padres de Raquel, esa joven y encantadora pareja, invitaron a Hugo y a Nacho a su casa de Peñascales. A Hugo, porque la niña-novia era su compañera de clase; a Nacho, porque se había hecho íntimo de Quico, el hermano menor de Raquel. Se fueron con el uniforme del colegio, y así empezó una magnífica amistad entre unos padres jóvenes y una abuela-madre mayor.

Todo esto me iba sacando día a día de mi tristeza y de mi habitación. Me daba cuenta de que si ya era la tutora legal de los chicos tenía que ocupar mi papel de padre-madre-abuelo-abuela, que decía Hugo con deportividad y alegría. Por lo pronto, acercarme a ellos, esperar pacientemente a que estuvieran a punto de estrellarse contra los escollos que la vida nos pone a esas edades, para agarrarlos por los pelos y no dejar que se dieran el golpazo. La ocasión se presentó muy pronto, en cuanto llegaron las siguientes vacaciones de verano y Hugo se mostró reacio, actitud que ya había mostrado en los meses anteriores, cuando se negaba a ir a Peñascales a pesar de la insistencia de Nacho, que seguía íntimo de Quico. «¡Claro!, Raquel y él ya no son novios», me dijo el chivatillo del pequeño.

Fue mi primera charla con Hugo sobre este particular, aunque en repetidas ocasiones, y cuando les oía hablar de noviazgos, les aconsejaba que a sus tiernas edades hay que tener amigas/os, compañeras/os de clase sin discriminación de sexo y dejarse de palabras tan serias y adultas, que constriñen la libertad y reducen algo tan bello como es la amistad; pero también entiendo, porque nos ha sucedido a todos, que queramos tropezar con la piedra que tenemos delante y que estamos viendo perfectamente, señalada, además, en rojo por las advertencias de los mayores...

Iba recordando mi época de madre de adolescentes y olvidando, a veces, que era la abuela, es decir, la madre de la madre, y si tenemos en cuenta que las generaciones ya nada tienen que ver con las orteguianas, de quince años de separación, pues ahora cambian casi cada dos años o menos si me apuran, seguirles resulta muy difícil y hay que hacer un esfuerzo camaleónico para no quedar fuera de juego.

En este ejercicio de calentamiento y aprendizaje, a veces sentía desfallecer el ánimo y, con frecuencia, llamaba en mi ayuda a mi hijo Gonzalo, porque me desarbolaban enseguida con un machismo casi genético que les hacía despreciar mi autoridad por el solo hecho de ser mujer, hasta que poco a poco me fui dando cuenta de que tenía que, como digo al principio de este relato, «coger el toro por los cuernos» y yo solita, sin ayudas masculinas, ni de Gonzalo ni de Luis, mi yerno, y ni siquiera del pobre padre Oliver, del que también recababa ayuda.

Por ejemplo, con las amistades, algunas peligrosas, como quedó demostrado en muy poco tiempo... Apareció en escena un chico mayor —y bien mayor, de veintitantos años—, que jugaba al fútbol en la plaza que está detrás de casa y de la que eran asiduos mis nietos, pues en su peregrinar por los pueblos se habían hecho callejeros, lo que a mí no me gustaba pero aguantaba porque también su madre lo había alentado para no tenerlos en casa haciendo el burro y dispersando sus ganas de no existencia. Ya mi hija Beatriz me lo había advertido: «Madre, he visto a los niños, sobre todo a Hugo, con un chico mayor, de pinta rara... Lleva siempre detrás a unos cuantos chavales de los de la plaza y no me gusta nada.» Le pregunté. Me respondió con una historia de que si era amigo de su primo Alberto, y no me lo creí, porque Hugo, como todas las personas de ojos claros y transparentes, miente muy mal. Empecé a vigilar sus pasos y sus ahorrillos; vi que tenía más dinero del que debía tener y objetos que me decía haber comprado y que costaban caros, y así llegó el día de marcha al campamento de Las Navas del Marqués, albergue que los jesuitas tienen en este lugar, donde los chicos —al año siguiente también las chicas—, pasan quince días de convivencia maravillosos, con el padre Oliver a la cabeza y Regina, «la novia del padre», como cariñosamente la llamaban mis nietos, madre de ex alumno y con vocación de madre eterna y educadora, que lleva las riendas de aquel complejo hogar veraniego, disponiendo las comidas y el orden doméstico y afectivo. Algunos de sus hijos son también cuidadores o monitores de los niños, y aquélla resulta una gran familia que nos «libera» a los padres, entre los que me cuento, durante una quincena.

Pues bien, allí apareció el rumano una tarde —contraviniendo las normas del albergue, que sólo permiten una visita, y reglada, a los alumnos durante el tiempo de duración del mismo—, con unos regalos y un dinero, «sobre todo para Hugo». No llegó a entrar porque en aquel momento de la tarde mi nieto mayor jugaba al baloncesto fuera del recinto del albergue, pero dentro de sus propiedades, por lo tanto vigilado por los fieles cuidadores. Rápidamente se enteraron Regina y el padre Oliver... Preguntaron a Hugo. «Lo conozco de la plaza. Dice que era amigo de papá y mamá, pero es amigo, ¡eso sí!, de mi primo Alberto, y además ha jugado en el Dinamo y me va a llevar allí...»

A eso de las once sonó el telefonillo y una voz con acento extranjero, no recuerdo el nombre, pidió subir a verme para contarme de mis nietos. Me asusté y asocié el chico mayor, «de pinta rara», de la plaza, con el que me había hablado Beatriz... Era un poco tarde y yo estaba enfrascada escribiendo, así que lo cité para tomar café a la mañana siguiente y llamé a un amigo de los niños, un tal Piro, dos años mayor que ellos y poco recomendable según la gente del barrio —porque estaba chalado y su mote obedecía a que había quemado la casa de sus padres en alguna ocasión—, para que contara quién era el tipo rumano, o polaco, no sabía bien la nacionalidad, que había sido capaz de contravenir las normas del albergue de los jesuitas y que mostraba tanto interés por mi nieto Hugo.

Nos dio un plantón de dos horas, durante las cuales Joaquín, que éste es el nombre de Piro y que ahora, desde hace unos meses, es huérfano de madre, un muchacho magnífico, poco estudioso, lo cual es bastante frecuente pero no condenatorio, desayunó abundantemente mientras yo me tomé varios cafés al tiempo que me contaba que había aparecido por el barrio hacía un año más o menos y que reclutaba chavales para llevarlos a su país a jugar al fútbol y convertirlos en estrellas de este deporte. No me gustó el tipo y me subí a casa, pues estábamos citados en un bar de enfrente, pensando y combinando en las perversas intenciones e inclinaciones del eslavo. Poco antes de la una del mediodía, sonó de nuevo el telefonillo y era el personaje en cuestión; me pedía disculpas por el plantón y me rogaba que le dejara subir para darme un obsequio —supongo que de consolación—. Le dije que bajaba en un momento, que me esperara en una terraza-bar de la plaza, al aire libre, pues había leído y oído noticias en las últimas horas de un grupo de rumanos, residentes ilegales en España, que se dedicaban a la «trata» de jovencitos con fines homosexuales... Estaba muy quemada, porque aunque ya me había enfrentado con algún caso parecido cuando mi hijo Gonzalo era adolescente y estaba interno, aquello desbordaba mis conocimientos sobre la materia y no me entraba en la cabeza que se pudiera comerciar con «material» tan delicado.

Creo que fue mi prueba de fuego como abuela integral. Bajé dispuesta a llevar al tipo directamente al juzgado de guardia con una acusación de proxenetismo.

Me encontré ante un tipo de veintitantos, con ropas caras y horteras, con el pelo al uno, de casi dos metros de estatura, que me llamaba señora y me hablaba de mis nietos «pero sobre todo de Hugo»: «Pobrecitos huerfanitos, sin las ropas que quieren, viviendo, como él de niño, en el umbral de la pobreza, con una abuelita mayor que no les comprende. Y... Hugo,

¡que juega tan maravillosamente al fútbol!... Puede ser un fichaje para el Steaua de Bucarest, donde yo empecé jugando siendo niño, para luego pasar al Dinamo de Kiev...»

«Y, dígame —le pregunté—, ese interés tan repentino por mis nietos, pero sobre todo por Hugo, ¿a qué obedece?»

Se le notaba incómodo, como si llevara una china en el zapato, y no miraba de frente, aparte de que se escudaba en sus dificultades idiomáticas (que no eran tales, porque de repente soltaba parrafadas intercalando en español correcto, giros madrileño-castizos).

Voy perfilando al personaje, que ama a los niños porque le recuerdan al hermanito menor que quedó allá, en su oprimida tierra natal, y a la madre, maltratada por el padre alcohólico, a quienes quiere traer a este «reducto de libertad que es España...» Vive con un tío lejano, gallego, usurero, solterón y rico... Los niños —mis nietos—, le dan pena, su orfandad, mi falta de medios para satisfacer sus naturales aspiraciones de españolitos libres y consumistas...

Le oigo y voy dándome cuenta de qué va... Pero ¿cómo se ha atrevido a ir al albergue de Las Navas, contraviniendo todas las normas, y llevarles a los chicos un regalo y dejarles dinero?...

Insiste en que conoció a Ada, pero nada coincide, ni las fechas ni la edad ni los amigos comunes. Él trabaja de auxiliar en un gimnasio de moda, al que van banqueros, políticos y altos ejecutivos a recibir masajes muy raros —de esos que se anuncian en las páginas de los diarios como «contactos» y en la publicidad televisiva nocturna entre adivinos como Rappel, Aramís Fuster, etc., y las chicas-chicos-gays, dispuestos a cualquier servicio, mientras una banda de teleprinter anuncia lo que cuesta cada minuto—. Entiendo, y mientras se me agolpa la sangre en las sienes tengo ganas de agarrar a ese aparente bigardo eslavo, rapado y homosexual vergonzante que pretende traficar con los muchachitos españoles aficionados al fútbol. Le reto, cuando me dice que él quiere profundamente a mis nietos porque le recuerdan... «Bien, pues pasado mañana domingo, que es el día de visita de los padres al albergue de los niños, nos llevas a mi hija Mónica y a mí, a verlos y a comer con ellos...» No se puede negar, pues mi invitación, más que tal, es una orden tajante... Y sin más, me levanto y me voy. Dejo, como si no me hubiera dado cuenta, una botella de champán francés y una caja de bombones... Cuando llego al portal de mi casa viene detrás, corriendo, para darme los regalos, que supuestamente he olvidado... «Gracias, pero no me los merezco, y son demasiado caros para un guarda de gimnasio. Además, no me gustan ni el champán ni los bombones. Te esperamos el domingo a las nueve y media de la mañana para que nos lleves a mi hija Mónica y a mí hasta Las Navas. Adiós.»

El domingo estaba como un clavo, con un berlina negro, regalo de su supuesto tío. Todo el camino nos fue hablando, mientras ponía música de Víctor Manuel y de Julio Iglesias, de las veinticuatro válvulas de su coche y de lo mucho que fardaba con él. A la hora, más o menos, estábamos ante el albergue de Las Navas, con toda la plana mayor de cuidadores —unos espléndidos mocetones en la veintena, alguno, también alguna, hijos de Regina—, que formaron ante el berlina negro... Todas las miradas convergieron en nosotros. Hugo no estaba; se había ido con su amigo Giuseppe al pueblo a jugar a las maquinitas... (había huido, vamos, ante el anuncio telefónico de que íbamos con el rumano) y Nacho andaba camuflado entre el dormitorio y los lavabos, de tal modo que lo encontramos a la hora de llegar...

Aquello fue un desastre y terminamos a las tres y media o las cuatro malcomiendo un bocadillo en uno de los baretos de la calle principal del pueblo, con los chicos malhumorados, mi hija Mónica durmiéndose (ya había empezado el largo y triste caminar por los «charcos» del mundo de la droga) y yo, como siempre, pagando, no sólo en dinero sino en conciencia. De todas formas, los chicos, mis nietos, aprendieron de boca del padre Oliver y de los monitores del albergue, lo que es la homosexualidad y los peligros que corren los adolescentes guapos y aparentemente desvalidos, como en su caso, por ser huérfanos y vivir bajo la tutela y el mismo techo de una supuesta vieja abuela que ya no sabe del mundanal ruido...

Lo que sí puedo asegurar es que se vacunaron contra el callejeo libertario en una plaza, limitada por el Corte Inglés, de un lado, del otro el Palacio de los Deportes de la Comunidad de Madrid y del otro la entrada al párking de los grandes almacenes, que se convierte con frecuencia, y con motivo de fiestas nacionales, comunitarias o municipales, en el centro lúdico-cultural de Madrid, con lo cual a los vecinos no nos dejan dormir, atacan seriamente el intelecto a través del oído y retan las buenas costumbres, dejando, tras cada sesión de conciertos y festejos, un rastro de «chutas» (jeringas de insulina que emplean los drogadictos para inyectarse heroína o cocaína), papeles de aluminio ennegricidos (de fumar «chinos») o con restos de «calimocho» —combinado de coca-cola y vino tinto— y cubatas de toda la vida... Una porquería y un peligro para el sufrido vecindario de la plaza que a la mañana siguiente lleva a sus hijos pequeños a que tomen el aire, con edades comprendidas entre los cero y los dos o tres años, lo cual supone que gatean por la plaza entre los restos de la «orgía» organizada por los poderes públicos para que la juventud se divierta.

Aquel verano terminó en un pueblo de la provincia de Guadalajara, casi en su término por el norte, lindante con la provincia de Teruel y con el histórico y precioso pueblo Molina de Aragón, a veinte kilómetros. El año anterior, aún en vida de Ada, habíamos estado allí, invitadas por mi amigo el notario, a una de las muchas casas que posee en la zona —también linda con Soria—. Se trataba de una casa de labranza, en la plaza del Mercado —la principal—, del siglo XVIII, con un hermoso escudo tallado en piedra sobre la puerta principal.

Era una casa muy singular, como otras muchas que hay en esta localidad alcarreña. Maranchón, se llamaba originariamente, y era donde hacían noche o descansaban los que transportaban ganado de un extremo a otro de la Península. El nombre lo debe a un gran lago natural que hubo por aquellos tiempos y que se divisaba desde muy lejos —el pueblo está situado en un llano lo suficientemente amplio para que se vean en la distancia los reflejos cristalinos del agua—. Las fiestas. A finales de agosto son singulares, como el pueblo, las viviendas y las gentes, que participan con entusiasmo. Mis nietos se hicieron amigos imprescindibles del vecindario infantil y favoritos de las chicas, aún niñas, ni siquiera «muchachas en flor», que los habían declarado los más atractivos de la zona. Insistieron en que fuéramos también a las divertidas fiestas, ya que el resto del verano, a partir del albergue de Las Navas, lo habíamos pasado en el inhóspito Madrid, una pura obra por esas fechas, con el consiguiente ruido de máquinas y polvo de zanjas abiertas a diestro y siniestro en las calles vacías de coches y de gentes. Allá nos fuimos mi hermana Carmiña, la bruja oficial de la familia, su nieta Sheila, de corta edad, los dos míos y yo, esperando a que Mónica llegase al día siguiente, llevada por un supuesto amigo... Llegó tarde y de madrugada con un tipo que nada más «aterrizar» nos pidió dinero (yo había pactado en que le pagaba la gasolina, no más de cinco mil pesetas, pues la distancia entre Madrid y Maranchón es de unos doscientos y pico kilómetros, no llega a doscientos cincuenta), algo así como quince o veinte mil pesetas. Mi hermana se encaró con él y nos dimos cuenta de que era un personaje siniestro, de unos treinta y muchos años, feo, desdentado, con un coche que quizá en sus tiempos había estado bien, pero que en el momento era una ruina —por ejemplo, la ventanilla de la derecha no se podía subir el cristal y mi hija llegaba aterida de frío—, sucio, lleno de desconchones, mal cuidado, en una palabra. Luego me enteraría de que lo utilizaba para «cundas», que son, en principio y etimológicamente, las cuerdas de presos que eran trasladados de una prisión a otra atados por las muñecas y los pies. Pues bien, las cundas son ahora las que organizan estos propietarios de vehículos para ir a «pillar» a los «supermercados» de la droga; cobran quinientas pesetas a cada drogadicto, y a veces llevan cinco o seis; si no tienen suficiente dinero para el transporte y la mercancía, se cobran en ambas cosas, cuando no actúan también de chulos de las chicas, buscándoles el cliente y llevándose, por supuesto, el tanto por ciento acordado. Una nueva picaresca, que no existía en vida de Ada y que el destino, porque no creo que sea Dios, me hace conocer y vivir a la fuerza, cuando aún no se han cicatrizado las heridas anteriores.

Bueno, el caso es que Mónica se queda allí, con nosotras, y mi hermana descubre enseguida lo que lleva en una bolsa (un cargamento de chutas, papelinas, papel de aluminio, cucharillas, etc.); la reconviene, se enfadan y una noche —estaban en fiestas y los chicos en la plaza bailando y divirtiéndose como se hace en estas ocasiones—, Mónica le quita a mi hermana las llaves de su coche y, muy dispuesta, con un tratamiento para su drogadicción, se va hacia Molina de Aragón, donde según un conocido que pasó por el pueblo con un grupo de moteros que procedían de esta localidad, hay de «todo»... Ya pasadas las doce de la noche, a mi hermana se le acaba el tabaco y va a su coche, aparcado en la plaza, delante de la casa, a buscar una cajetilla... Vuelve alarmada. «Tú hija me ha robado el coche —me dice—. No tengo las llaves, que estaban en mi bolso. O me acompañas o me voy a la Guardia Civil a denunciarla...» Le ruego que espere y recapacite, que piense... «No tengo nada que pensar —responde—. Ya está bien de que des tanto cuartelillo a tus hijas y las trates con tanta consideración. Ya está bien de tener que aguantar, como anoche, a chorizos que irrumpen en la casa a horas intempestivas, extorsionándonos, y encima lo admites...» Tenemos una fuerte discusión y a lo más que accedo es a ir con ella al puesto de la Guardia Civil y a procurar que detengan el coche (la distancia entre uno y otro pueblo, como ya he dicho, no es superior a veinte kilómetros y no hay más puestos de la Benemérita entre Maranchón y Molina de Aragón; luego habrá un coche de atestados, de la primera de las localidades, que hará ese trayecto, y uno de los dos le dará el alto).

Le suplico calma; además, Mónica está en tratamiento...

Nos dirigimos hacia el pueblo, con su nieta de tres años, a la que ha despertado, y cuando entramos en la casa-puesto de la Guardia Civil, el sargento y jefe, que en esos momentos está solo porque el resto de la dotación hace, como yo suponía, el trayecto que yo había dicho, oímos por los altavoces del cuarto de radio que ha habido un accidente a la altura del kilómetro tal entre los dos pueblos; el coche se ha salido de la carretera y está en un campo de girasoles, que ha arrasado; ha dado dos vueltas de campana y está siniestro total; la joven que lo conducía —iba ella sola—, morena, delgada, de unos veintitantos años, aparentemente sin vida... «Corto... Daremos más noticias cuando llegue el SAMUR de Guadalajara...»

Naturalmente, pierdo los nervios, porque además, y son coincidencias de la vida, ya es 24 de agosto y se cumplen ocho meses de la muerte de mi hija mayor. Se lo digo a Carmiña, que hace caso omiso. Presenta una denuncia por robo contra mi hija pequeña... El sargento, que ya me conoce del año anterior y sabe mis circunstancias, además de ser el padre de uno de los amigos de Hugo, que se divierte con él en la fiesta popular, le dice que recapacite, que la denuncia me la pone a mí, puesto que estoy diciendo que mi hija es insolvente, y que ella lleva un coche con el seguro caducado, sin papeles de propiedad, ya que el propietario legal es su hijo mayor, y que además yo voy a hacer una declaración según la cual mi hija no está en sus cabales porque se encuentra sometida a un tratamiento de desintoxicación por drogas, y aquella noche había ingerido, además, alcohol.

Se vuelve a poner en marcha la radio y nos dan nuevos informes: «La joven, con rastro de drogas y calmantes en sangre, tiene fracturas varias en espalda, cuello y extremidades, aparte de traumatismo craneal, y es conducida por el SAMUR al hospital del INSALUD de Guadalajara, desde donde nos tendrán informados...»

La noche se hace eterna. Yo aviso a mis nietos; Hugo, el mayor, estaba bailando con una de sus muchas admiradoras, y Nacho en la garita de la Seguridad Social, porque se había roto el radio del brazo izquierdo, tirándose de cabeza —como hacía habitualmente—, por uno de los toboganes del parque público; al ver que aterrizaba de cráneo, adelantó el brazo izquierdo y se lo «rompió»... También a las urgencias de Guadalajara... ¡Oh, Dios!, ¿dónde coño estás? (con perdón).

Me fui con el niño en la ambulancia y dejé atrás a una hermana que más que hermana parecía una fenicia a la que sólo interesaban sus propiedades materiales («¡Mi coche!, ¡mi coche!», se lamentaba como un patético E.T., el personaje de Spielberg) y a un Hugo cabreado conmigo y con su suerte al que habíamos fastidiado la noche.

Total, como en los viejos tiempos me pasé la noche en la carretera, pero esta vez en ambulancia. Nachete, con el brazo izquierdo escayolado, dormía plácidamente con su cabecita poblada de un abundante pelo rubio y rizado sobre mi hombro, que, dolorido y anquilosado, no me atrevía a mover. Era de madrugada cuando llegamos a Maranchón. Todos dormían en la casa, así que nos fuimos hacia la cercana iglesia y nos sentamos en los bancos del hermoso atrio. Mi nieto siguió durmiendo y yo pude contemplar la más insólita procesión que ya habría querido Buñuel para alguna de sus películas de la época surrealista. Primero salió la Virgen, una talla del XVI, vestida con ropas cortesanas de la misma época. (En la primera planta de la casa de mi amigo, en la que vivíamos, frente a las escaleras de raída madera de la puerta de entrada, lo primero que se veía era una imagen de parecidas características, que mostraba, como las de aquellos tiempos, el hermoso, dolorido y pálido rostro de porcelana, orlado por una bella toca blanca de encajes rematada por una corona de pedrería, y las cerúleas manos que sobresalían de unos puños también de encaje. Pero luego se podía descubrir, debajo del traje, un armazón de madera como los que sostienen los miriñaques en el museo de trajes de época. Era un atuendo como el que llevaban las damas de alta alcurnia de la corte de Felipe II, con detalles modernos e intemporales, como los collares, los anillos y los pendientes. A mis nietos, como nos había pasado a todos al llegar a aquella singular casa, les llamó la atención la imagen, y todos, pequeños y mayores, coincidimos en hacer averiguaciones y la sorpresa fue muy parecida. A mi hija Ada le impresionó vivamente, y me decía que cambiaba su punto de mira y que ella notaba sus llorosos ojos en algún lugar de su alma; en cierto modo le daba miedo, porque le recordaba el infinito y la eternidad, y así me lo dijo; a mi hermana, de profesión bruja, como ya he contado, le daba un miedo total, y eso que es iconoclasta y atea, aunque en su trabajo mezcle a los santos con las meigas y al Corazón de Jesús con el Maligno. Para los niños, al fin, era un juguete nuevo y más divertido que los electrónicos o los que necesitan pilas, y así un día le cambiaban las manos, con lo cual resultaba que la palma de una se encontraba con la parte superior de la otra, quedando raras y deformes, porque le subían los puños y se veía el entramado de listones de madera, así como por encima de los chapines puntiagudos que terminaban en un delgado tobillo cubierto por una breve media de seda brillante y clara, y en la cabeza, en lugar de la corona, le ponían sombreretes de feria o letreros profanos, con nombres de cantantes famosos y estrellas rutilantes de la pantalla, pequeña y grande... ¡En fin!, que tomaban a la imagen de la Virgen de no se sabe qué, a beneficio de inventario, y cuando yo les reprendía, me decían que el año anterior, cuando el padre Oliver se había detenido para hacernos una visita, también bromeó con aquella Virgen con traje de cortesana.)

Pues en la procesión, y retomo el hilo del relato, detrás de la Virgen, portada en andas por el párroco y los vecinos más antiguos del lugar, entre los que se encontraba el cronista oficial que había escrito la historia del Maranchón de antaño y de las riquezas monumentales, incluida la casa de mi amigo el notario, seguía una banda de música que desafinaba escandalosamente porque sus componentes paraban, al tiempo que las andas, para echar un traguejo de vino de la tierra, aunque algunos, más modernos, sacaban la litrona de debajo de los ropajes o el cubata preparado en el botellón de coca-cola... Parecía, a la luz del amanecer de un día de finales de agosto, un capricho goyesco o la secuencia de una película del Buñuel de la época del *Perro andaluz*...

Cuando la banda se paró delante del banco en que estábamos sentados mi nieto y yo, él se despertó con el ruido, más que música, y, frotándose los ojos a pesar de la mano escayolada, exclamó: «¡Jo, abuela, si es nuestra Virgen, la de casa, ¿por qué has dejado que se la lleven?», y acto seguido se quejó de que le dolía el brazo.

Aproveché y nos dirigimos hacia la casa, porque había refrescado y me sentía helada, sin atrever a moverme por no despertarlo. Era hora de enfrentarme con la cruda realidad. Recordé a Mónica, a la que ni siquiera pude ver en el hospital, porque estaba en otra ala del enorme edificio.

Mi hermana nos esperaba en la puerta con el semblante

claramente contrariado, el equipaje hecho y vestida, al igual que su nieta, en aparente espera de una marcha inminente... Preferí no oír su perorata; me interesaban Hugo, que dormía plácidamente, y las noticias que pudieran darme sobre Mónica. Entré en la cocina y vi la mesa con los restos del desayuno sin recoger; al abrir la nevera con la intención de servir un vaso de leche a Nachete, me di cuenta de que no había recogido nada. Se iba como una visita incómoda, amenazadora que sólo pedía un coche... A la media hora más o menos se presentó una furgoneta, y a modo de adiós gritó desde la calle: «Raquel, si queréis venir, daos prisa, porque este señor es del seguro tal y tiene que estar de vuelta dentro de una hora.» Los nervios que me habían mantenido despierta toda la noche me convirtieron en un ser agresivo y dolorido, y reconozco que la contesté muy mal. Por segunda vez en nuestras vidas se abrió un abismo, éste, enturbiado, como el primero, por una denuncia que había hecho contra mí y, ahora, contra mi hija. El epílogo fueron una serie de amenazas telefónicas, que en su día grabé y que he tirado al cubo de la basura, pero mantuve la firme decisión de que mi hermana Carmiña murió aquella noche en que mi hija le destrozó su coche. Así se lo hice saber las pasadas fiestas navideñas, cuando después de varios recados telefónicos y de pedir la intervención de una amiga común para un acercamiento, le dije una mañana muy temprano que tuve una hermana pero que murió... Hasta ahora, y creo que hasta el fin de mi vida.

Como es de suponer, Maranchón se ha quedado en nuestro pasado remoto y ninguno de los cuatro, los chicos, Mónica y yo, ni siquiera hemos pensado en volver, a pesar de su encanto, que lo tiene y mucho.

III

Empieza un nuevo curso — Hugo entra en Primero de ESO: se acaba la EGB — Reuniones de padres de alumnos — Hablo largo y tendido con el padre Oliver — ¡No hay becas, ni de comedor ni de ayuda para libros! — Invito a comer a Puri y Paco, los padres de Raquel y Quico — Hugo y su afición al fútbol. Entra en los Infantiles del Real Madrid y él solito se excluye: viaje con el colegio a Cantabria.

Aquel agosto fue largo, como de costumbre en mi vida. Regresamos a Madrid la misma mañana que mi hermana y su nieta, después de haber hablado con el hospital de Guadalajara y saber que a Mónica la trasladarían por la tarde, a última hora, al hospital de La Princesa de Madrid. Los chicos, sobre todo Hugo, se fueron de mala gana, porque lo estaban pasando muy bien en las fiestas del pueblo.

Mientras yo ponía en orden la casa, ellos se fueron en bicicleta al pueblo; Hugo, para despedirse de sus amigos/as, sobre todo de la niña que bailaba con él cuando sucedieron los hechos, y Nacho para que le firmaran la escayola, que todavía estaba húmeda. Volvieron tarde y sin bicicletas, que se quedaron allí. Me enfadé, pero ellos no le dieron importancia, estaban acostumbrados a perder sus propiedades en cada casa de la que salían de estampía.

Hasta finales de septiembre no empezaban las clases, de

modo que teníamos ante nosotros un largo mes casero, lo que suponía una total esclavitud para mí de comidas, compras, lavadoras, plancha y abandonar mi trabajo, ya que no podía contratar a una asistenta, pues nuestros ingresos eran justos para llegar a fin de mes, y eso haciendo equilibrios y sin decirles nunca a los chicos no hay de esto o de lo otro o no podéis ir al cine o a comer a un Burger, su restaurante favorito...

Madrugaba bastante, pero no me cundía el tiempo, y además me había metido en una asociación, Abuelos en Marcha, con la que salimos en la tele y en alguna revista... La *Agenda* estaba entregada, pero no se publicaría hasta enero, a pesar de lo cual empezaron a llamarme muchas abuelas que, como yo, y por causas similares, eran madres de nuevo a una edad en la que, por ley de vida, nos habíamos ganado el descanso.

Me metí muy de lleno en esta asociación, y con una joven socióloga y trabajadora social, Teresa Martín, visitamos algunos de los servicios sociales del cinturón industrial de Madrid. En cada sitio nos encontrábamos con una veintena de abuelas/os, más mujeres que hombres, y también con algún matrimonio, concretamente con uno relativamente joven —no llegaban a los cincuenta—, padres de cinco hijos, el mayor casado, dos cursando estudios universitarios, el más pequeño con síndrome de Down y la cuarta, de dieciocho años, adicta a las drogas de diseño, el llamado éxtasis y otras menos conocidas que producen una forma de movimiento continuo, es decir, vigilias de tres días para no dejar de bailar en lugares a ser posible cerrados, amenizados con estridente música bakalao, rap, reggae. Y con esta absurda —con perdón de los usuarios— diversión, basada en forzar el aguante físico a cualquier precio y con consecuencias a veces tan trágicas como la muerte por fallo cardíaco a los veinte años (noticias que aparecen en los periódicos y se oyen por las emisoras de radio) o embarazos por un intenso amor de horas. En el caso del matrimonio que teníamos delante, las consecuencias de las orgías de la hija les habían llevado dos criaturas en algo más de dos años, hijos del amor del éxtasis y, por supuesto, de ella, porque los hijos «son sólo míos». Los padres fueron elegidos por su físico y porque compartían la euforia del momento, y ni siquiera saben que existen las criaturas (¿...?). «Y, aparte de que es vuestra hija y yo entiendo vuestra preocupación —les dijo Teresa—, ¿cuál es el problema?»

La mujer, mucho más práctica y elocuente que el marido, convaleciente de una angina de pecho producida, sin duda, por el primero de los inesperados nietos y de un infarto cuando supo del segundo. Aquella familia había visto el orden espiritual y material de un hogar acomodado en el que hasta entonces se sobrellevaba dignamente los problemas normales, incluyendo en este término el hijo adolescente con síndrome de Down, para el que supuso una fuerte conmoción el ver usurpado su lugar por los bebés que le robaban la atención de sus padres. No es de extrañar, por esto, que en alguna ocasión tramara algún atentado, frustrado por la madre, para que desaparecieran. Y lo mejor de todo es que aquella caprichosa «bakaladera», no quería ni oír hablar de quién podría ser el padre de cada uno de sus dos hijos, y mucho menos de dejarles la tutela a los suyos con la condición de que ella se marchara a terminar los estudios lo más lejos posible.

A medida que iban surgiendo nuevos temas, todos problemáticos y producidos por una u otra droga, me di cuenta de que yo/nosotras éramos unas privilegiadas en comparación con aquellas abuelas/os que no conocían sus derechos, y que pensaban que yo los había conseguido por ser periodista y haberme dedicado durante muchos años a la información política y parlamentaria, motivo por el que conocía a gente importante, que, de favor, me habían concedido tutela, pensiones, etc.

De alguna manera traté de explicarles que mi realidad profesional era la que me había permitido enterarme de muchas de las leyes desde su inicio, pero que eran derechos adquiridos por el Estado democrático y no por favoritismo y a dedo... Y no había más que seguir los pasos y llegar a estos derechos y pedirlos, acreditando con documentación, eso sí, la correspondiente petición.

Recuerdo que en una de estas reuniones, convocada por la Concejalía de Servicios Sociales del Ayuntamiento de Hortaleza, una abuela en situación muy parecida a la mía, me decía que ella había solicitado la tutela de su nieta de siete años, huérfana de su hijo, que había muerto en la cárcel víctima del sida. Después de un largo y penoso camino de adicción a la heroína, que lo había llevado a la delincuencia desde muy joven, y con la madre de la pequeña en similar situación, aunque todavía viva, pero terminal, y también presa, le habían denegado la tutela a la abuela porque era mayor de sesenta años y sólo cobraba una pensión mínima de viudedad y una menor aún prestación —mis nietos, por ejemplo, cobran por este concepto tres mil pesetas al mes que la S.S. les paga por semestre—. Pero todavía había otro extremo más doloroso: había solicitado la pensión de orfandad para su nieta y se la habían denegado porque ella ya cobraba una pensión...

Teresa y yo, en nombre de la asociación de los abuelos y de CAPACES —otra que yo fundé hace cinco años para ayuda a los familiares de enfermos de sida y, sobre todo, a los hijos de éstos, y cuyo primer socio fue mi yerno—, le dijimos que intentaríamos arreglar su situación, dramática hasta el punto de que la mujer se quejaba de que la única comida que podía darle al día a su nieta era la merienda-comida-cena, que consistía en un plato de legumbres cuando llegaba del colegio y un recuelo de té o de café por la mañana, más un bocadillo de embutido del más barato para que comiera en la escuela, porque tampoco podía pagar el comedor... ¡En fin!, que esto resultaba como el verso aquel del mendigo que se creía el más pobre y desgraciado y «cuando el rostro volvió / halló la respuesta viendo / que otro pobre iba comiendo / las hierbas que él arrojó».

Tristemente así me sentía yo ante situaciones semejantes y múltiples... Pude comprobar entonces que aunque el analfabetismo hubiera desaparecido, al menos de forma oficial, según las encuestas, todavía hay situaciones de incultura total, especialmente entre la población a la que me refiero. Me daban la razón aquellos abuelas/os que desconocían hasta el derecho al transporte gratuito y los controles sanitarios para los hijos y los huérfanos de la generación X, como llamo yo a los caídos por la droga-sida.

Cuando volvía de una de estas visitas, les contaba a mis nietos dónde había estado y los problemas que se vivían en casos semejantes al nuestro, y cada vez conversábamos con mayor conocimiento y realismo de la enfermedad que había matado a sus padres y a los de sus pequeños compañeros, y ellos se sentían orgullosos de mí y al mismo tiempo me ayudaban, concienciándose cada vez más de que debían saber decir *NO a la droga y SÍ a la vida,* y este mensaje, que se había grabado en sus mentes desde antes de nacer, se consolidaba día a día y así lo transmitían a sus compañeros y en todas partes, prestándose a aparecer conmigo en los medios informativos, aunque luego algunos compañeros, no sus amigos, se lo reprocharan.

Como consecuencia de todo esto, el enfrentamiento con su antes muy querida tía Mónica, era frontal, sobre todo de parte de Hugo, que la llamaba gilipollas e idiota y me/se preguntaba: «pero ¿es que no ha visto como han terminado papá y mamá y las tías Ana y Marta y el tío Maxi y tantos amigos de ellos?... Abuela, ¿qué podemos hacer?» Y lo cierto es que el chiquillo sufría, quizá porque él, a sus años y con su desgracia tan reciente, lo tenía muy claro. Entre ellos y yo hacemos lo imposible por que Mónica vuelva al mundo —entiendo que, como ella dice, «desde ese lado todo os parece muy fácil»—, de la llamada normalidad (¿...?).

Su puritanismo en este aspecto llega hasta tal punto que me recriminan mi adicción a la nicotina. Hace muy poco Hugo llegó un día del colegio muy preocupado porque algunos de los de su clase —ya está en tercero de ESO—, fuman y beben cerveza o calimocho.

—¿Qué hago, abuela, se lo digo al padre o a Amparo?

—Yo creo que primero debes decírselo a ellos, si es que tú no haces lo mismo, y espero que no...

No me dejó terminar, y protestó, como siempre, con un:

—¡Pero abuela!

Esta frase, dicha con una entonación singular y la mirada frontal de sus hermosos ojos claros, no dejaba lugar a dudas.

Nacho está en la misma línea, pero como «no quiere crecer» y es muy mimoso —siempre que quiere un mimito o me va a contar algún secreto de su hermano, me llama «abubu», porque sabe que aunque le oigo, no me gusta que sea chivato—, por él sé que su hermano tiene una novia, o que ya no tiene la otra, o que no quiere que vaya con él y con algunos de sus amigos porque acuden a discotecas *ligth*... «Bueno —le respondo—, ¿y qué? Tú también irás muy pronto y verás cómo cambias de opinión y las chicas no te parecen tan pesadas y tan mandonas y alguna llega a gustarte...» Me dice muy convencido que «¡ni hablar!», él siempre va a ser pequeño. Y realmente, a pesar de que ya está hecho un hombre, sigue creyendo que es un bebé. Me recuerda la historia de un perro enorme que le llevan como compañero a uno muy pequeño y como no ha visto otros perros, llega a creerse que es del mismo tamaño que el menor, que además es hembra y de la que se enamora... Se lo digo a Nachete, y se ríe y me suelta un dicho que solía repetir Mónica de niña, que había aprendido en el colegio y que, sin saber su significado, contaba a mi padre cuando llegaba de clase la primera de sus hermanos: «Con paciencia y saliva se la metió un elefante a una hormiga», y luego añadía: «A que es muy gracioso abuelo, pero..., ¿qué quiere decir?» Mi padre, que también hizo las veces del suyo con todos mis hijos, pero especialmente con las dos pequeñas, reprimía la risa y le respondía que eso no debía contarlo una niña... Luego, cuando llegaba yo, me decía que debía explicarle a la niña, que no tenía más de seis años, lo que significaba aquella frasecita tan grosera...

«Gracias, Dios mío, sigue ayudándoles a que no se tuerzan; conserva su niñez por todo el tiempo posible, su ingenuidad y su amor al deporte y a la verdad. Amén.»

Bueno, y a lo que no me acostumbro de nuevo es a las peleas feroces e instantáneas que montan sobre todo cuando están varios días en casa —porque ya no quieren salir a la plaza ni aunque se los mande—. Se enzarzan como dos gallos de pelea, empiezan con insultos como «Nachita», «Gay», «le voy a decir a la abuela por qué estás tanto tiempo en el baño», e inmediatamente pasan a la acción, que consiste en agarrarse por donde pueden y terminar con arañazos, moretones y algún objeto roto sobre sus cabezas o sus costillas. Cuando les oigo y voy corriendo a su cuarto a ver qué pasa, alarmada por los gemidos de Nacho, siempre me lo encuentro a él sobre su hermano zurrándole, aunque éste ya lo haya hecho antes y en silencio. La víctima siempre resulta el pequeño, con lo que al principio, y perdida la costumbre —mis hijos, los dos mayores y luego las dos pequeñas, hacían lo mismo—, siempre castigaba a Hugo... La diferencia de ahora con entonces son los años, y lo noto porque del empeño en separarlos termino con algún chirlo y con agujetas, aparte de que me tiran al suelo en cuanto me descuido. Pero esto es lo que hay y no puedo perder el tiempo en lamentaciones ni en el «si no hubiera...» El tiempo y los hechos me han vuelto totalmente existencialista, con un añadido particular: ¿lamentarse de los errores pasados?, es una pérdida de tiempo y de energía mental, a menos que sea para no repetirlos; el presente es el minuto que vivo y el futuro empieza en el siguiente, y para entrar en éste con buen pie hay que hacerlo con energía y confianza en una misma.

La primera reunión de profesores y padres estaba fijada para la segunda semana de septiembre, unos días antes del comienzo del curso, y se supone que era para informarnos de las novedades, cambiar impresiones y darnos la lista de libros que cada uno necesitaría, aparte de ser un motivo para conocer a los nuevos alumnos y sus familiares y reencontrarnos con los veteranos (el más apetecible para mis nietos: ver a sus ya viejos compañeros, pues era una novedad el ir al mismo colegio por tercer curso consecutivo). Como siempre, se improvisó una animada tertulia antes de entrar en la reunión, y cada uno de los asistentes relataba las novedades del verano y nos intercambiábamos elogios de lo bien que estábamos, lo guapos y lo morenos, y lo mucho que habían crecido los chicos, mirando de reojo a los nuevos, sin otro comentario que algún gesto o mirada, hasta que llegaron el padre, don Joaquín, Amparo, Dodo, Nica y Regina, y empezó la reunión con la presentación de los nuevos y la novedad del nuevo curso: la ESO, con las risas consiguientes porque todos habíamos preguntado a nuestros hijos/nietos «¿qué es eso?»...

«Pues la ESO son las siglas de la Enseñanza Secundaria Obligatoria, que forma parte de la LOGSE y que este año comienzan los alumnos que han terminado sexto de EGB. Por el momento nosotros estamos autorizados para los dos primeros cursos, aunque consta de cuatro; es decir, hasta lo que sería el final de la EGB, o sea octavo, y luego, en lugar de pasar a BUP, estos alumnos, superado el primer ciclo pasarán al segundo...»

En este punto interrumpimos para saber si éste también lo

harían en el colegio, pero por el momento la ley era tan nueva que no había más previsiones de futuro que el fin del primer ciclo. Todos temíamos el cambio de colegio a una edad tan crucial para pasar de un régimen personalizado como es el del Mater Amabilis, al multitudinario de la enseñanza pública...

(A mí, y supongo que a otros muchos padres —Hugo ya me había expresado su deseo de ir al instituto porque algunos de sus mejores amigos, mayores que él, como Alberto, habían finalizado la EGB— y por razones económico-familiares, no podían pasar al colegio privado que los jesuitas regentan en Chamartín, con el consiguiente coste. Yo, como supongo que otros en mi caso, me había negado rotundamente, pues tenía muy mala experiencia del instituto en esa edad, ya que supuso para mi hija Beatriz, por ejemplo, magnífica estudiante en la escuela concertada o privada y pésima en la pública, el que abandonara sus estudios, lamentablemente con el bachillerato sin acabar. La libertad, a ciertas edades, hay que preguntarse, como lo hacía Lenin, ¿para qué? Y yo, contrariando mi sentido del diálogo y la explicación, le contestaba a mi nieto con un «no» tajante y un «porque lo mando yo y, ¡punto!», que de habérselo dicho a mis hijos en su momento probablemente hubiera sido más positivo, aunque menos amistoso y más delimitador del terreno de mando.)

A mí, en principio, me pareció que era una ley que tendía a dificultar el ingreso a la universidad y a recobrar las carreras técnicas intermedias; es decir, una recuperación de la Enseñanza Profesional, tan desprestigiada en la época franquista, con las escuelas de formación profesional y las universidades laborales, pero en fin, tampoco los profesores tenían mucha idea, y así lo expresaron cuando anunciaron que los viernes los alumnos tendrían una hora lectiva menos porque ellos se reunirían para estudiar la aplicación de la nueva ley, que duplicaba, en la mayor parte de los casos, el horario del profesorado.

En esta reunión oí por primera vez la queja de una madre, cuyo hijo no sé si era nuevo en el colegio, que protestaba por las muchas horas que se dedicaban a la enseñanza y a las prácticas religiosas; ella se declaró de izquierdas y atea, y no estaba de acuerdo con aquello. Una de las madres veteranas le contestó airadamente que no hubiera elegido ese colegio para su hijo, pues como la enseñanza era libre, podría haber elegido uno laico, y la nueva respondió que a ella le gustaban los jesuitas como educadores... Terció el padre Oliver y aplacó los ánimos, puntualizando, como lo hace siempre, que la formación religiosa en estos centros es tan importante como la académica, y que estaba de acuerdo con la segunda madre en que la enseñanza es libre y por tanto cada uno debe llevar a sus hijos a centros que estén de acuerdo con sus ideas, y de no ser así respetar las normas del que eligen.

Pregunté a mi vecina, la veterana que había respondido, quién era la señora, y me respondió que una disidente que ya se había manifestado antes y que hacía a su hijo un flaco servicio, porque el niño, al que ella había tenido de soltera —sabiendo que el padre de la criatura no se iba a casar—, fue apartado ya por muchos de sus compañeros, por hipócrita e incitador de los demás, vamos, que era de los que «tiran la piedra y esconden la mano» y, miren ustedes por dónde, aquel año, íntimo de mi nieto mayor... (Los puntos suspensivos quieren decir que ya les contaré más adelante.)

Al terminar la reunión me acerqué a Javier Oliver, S.J., el director del colegio, de quien en este relato me resulta imprescindible hablar porque ocupa un lugar preeminente en la formación de mis nietos, y porque también desempeñó un papel fundamental con respecto a mi hija Ada, ya que gracias a él vio la luz que la llevó a morir en la fe cristiana y a pedir en su testamento misas y rezos por su alma. En ocasiones regresaba del colegio a media mañana, después de haber hablado con el padre y, aparte de haberle sacado algún dinero, y me consta porque me traía un pequeño regalo que otro, preferentemente flores, que le compraba a una gitana ex pequeña traficante de caballo y coca de la avenida de Guadalajara, que la recuerda aún como la «Paya Larga», porque era «mu güena», y gracias a ella pudo conservar el puesto de flores y dejar la droga.

El día, poco después de su muerte, en que me paré a comprarle unas flores y se la comuniqué, a la mujer se le saltaron las lágrimas, y no me las quiso cobrar. Por lo visto se lo había pedido a Simón Viñals, concejal del ayuntamiento de Madrid, que para ella era san Simón. Este magnífico ser humano es médico e hijo de quien fuera decano de los médicos de la Asociación de la Prensa de Madrid, Simón Viñals, al que conocí y traté durante mi estancia en la junta directiva de la Asociación y con quien trabé una magnífica y sólida amistad, basada, en un principio, en la que él tuvo con el que fue mi suegro, Gonzalo Crespí Jaume, también médico y oftalmólogo, otro ser entrañable que no se ha repetido, por desgracia, en ninguno de sus descendientes. Pues bien, según me dijo Ada una de esas mañanas que llegaba con flores para mí y entre la inacabable verborrea que le producía el caballo (es curiosa la lucidez que produce en algunos sentidos), me contó algo acerca de la gitana de las flores y me propuso que llamara a Simón Viñals y le pidiera algo para ella; naturalmente, mi respuesta fue que le llamara ella, que le conocía muy bien, y así debió hacerlo...

¡No!, no me pierdo, viene esto a colación del padre Oliver y el camino de luz que le mostró a Ada en sus charlas-confesiones, que a veces mantenían, según ella me contó, sentados en la escalera de bajada del colegio, a la puerta del coro donde ensayaban los cantores, entre quienes se encontraba mi nieto Hugo. En cierta ocasión llegó a decirme incluso que estaba enamorada del jesuita... Son detalles que luego he ido recordando y han hecho que consolidara mi confianza en este hombre, cuya ayuda ha sido inapreciable en la formación de mis nietos Hugo y Nacho. Por ello aquella tarde, a la salida de la reunión, le pedí una cita para hablar con él sobre los chicos, pero principalmente del mayor, que ya era un adolescente y algunos aspectos de cuyo carácter me preocupaban, motivo por el cual creía que podría aconsejarme.

Me citó a los pocos días y tuvimos una larga y profunda charla sobre sus alumnos, en particular Hugo, que era el que en esos momentos despertaba a una nueva y difícil etapa de su vida, y también de mis convicciones. Él sabía desde el primer día que yo era agnóstica por conocimiento y deducción, pues durante mi infancia y adolescencia no sólo había sido creyente sino que había decidido ingresar en la orden de las Carmelitas Descalzas que creara la Santa de Ávila, Teresa de Jesús, quien me guió con sus obras literarias y espirituales durante mi permanencia en el colegio que las teresianas «de marrón» tenían en la madrileña calle de Goya. Debo decir que esta admiración e influencia ha permanecido inalterable en mí, en gran medida gracias a la Madre Teresa, de quien aprendí a pensar y a dudar, que es lo que sigo haciendo en mis avanzados días, a pesar de que aún no he encontrado la luz de la que hablaba mi hija. Así se lo confesaba al padre, cuya respuesta fue tan bella que me convenció: «Pídeselo a tu hija, que era muy buena y sufría mucho por su adicción, que la llevó a cometer tantas tropelías. Estaba tan arrepentida que seguro que se encuentra junto a Dios y es la mejor intermediaria para ayudarte con sus hijos. ¿Por qué, si no, su empeño en que fueras su tutora? ¿Por qué lo dejó así establecido en su testamento...?»

Me despedí del padre y me fui andando calle Serrano abajo hasta mi casa, meditando sobre las palabras del sacerdote; una tenue y débil claridad iluminó mi mente, y desde entonces no me ha abandonado.

El curso iba avanzando y llegaron las primeras notas, no muy satisfactorias. Aparte de los «cates» estaban las notas relacionadas con la conducta: Hugo se mostraba retraído, rebelde, y ausente por completo en matemáticas, física y química, en francés, en música ¿...? Seguía empeñado en ir al instituto como su amigo Alberto, y yo ni le oía, en apariencia al menos, pero me preocupaba, tanto que un día que este amigo, uno de mis preferidos, porque es un chico, aparte de educado, que vive problemas familiares de esos que los adultos creemos que no influyen pero que determinan en algunas edades el comportamiento global, y me refiero al divorcio de los padres, por ejemplo, hablé con él, lo que hacía siempre que venía por casa, y me confesó que iba muy mal en el instituto y que echaba mucho de menos el colegio. Le pedí que se lo dijera a Hugo, y me consta que lo hizo, pues mi nieto no volvió sobre el tema. Así y todo, cuando llegaron las notas de las primeras vacaciones, las de Navidad, eran pésimas: siete suspensos, pero... según los responsables de su educación, con mejoría en la conducta. En cambio, Nacho, que nunca se había distinguido por sus calificaciones, pero sí por el comportamiento, tenía un aviso de muestras de violencia que hasta entonces no había manifestado en público, pero que yo conocía porque en ocasiones había dado muestras de ello en casa. Eran como brotes aislados y repentinos, que no dejaban señales, pues pronto volvía a ser «el niño Jesús», como le llama mi amiga Carmen González Páramo, apacible, sonrosado, con la cabeza rubia de cabellos rizados y los preciosos ojos azules... ¡Qué difícil tarea la de educar, penetrar en los senderos inexplorados del alma de un niño y descubrir los resortes, imperceptibles, que deciden el comportamiento en cada minuto! Estaba en lo cierto mi hermano Rafa cuando me consolaba del enorme peso que llevaba sobre mis hombros, diciéndome que se me concedía una segunda oportunidad, ésa que todos deseamos cuando decimos: «Si volviera a tener veinte años...» Yo la tenía, es verdad, y me sentía una privilegiada al poder remediar los errores que había cometido en mi primera etapa, como madre y tutora en sentido legal y académico de la palabra; es decir, la persona que ejerce la tutela, que no es otra la labor de guiar, amparar y defender.

Hace unos años, cuando la maternidad, de una manera natural, me obligó a esta tarea, no encontré tantas dificultades ni pensé tanto en ella como ahora, en ésta que llamo yo mi segunda maternidad en el tiempo y que afortunadamente sólo he de ejercer con mis nietos mayores. Un sentido de responsabilidad más profundo me obliga a detenerme en detalles que antes encontraba naturales y a los que no daba la mayor importancia, y es que no son éstos los hijos de mi tiempo biológico, sino, y aunque parezca una perogrullada, se trata de los hijos de mis hijos y ¡claro!, noto el peso de la experiencia, de los errores cometidos por desconocimiento, porque es cierto que en la primera de las situaciones nadie nos ha enseñado y vamos aprendiendo en nuestra propia piel, a pesar de los consejos de los mayores. Ahora es distinto, casi estaría por decir que todo se programa, se analiza, como si se tratara de un delicado experimento en el que cualquier fallo puede conducir a error. Pero también es verdad que, precisamente por ello, se hace todo de una manera más fría, y a veces, y sin remedio, los fallos hay que achacarlos a la herencia genética, terreno de arenas movedizas en el que se desenvuelven con sumo cuidado los científicos sanitarios, por englobarlos de alguna manera, de todo el mundo. Así es como veo en estas criaturas tics que me recuerdan al padre, a la madre y a mí misma, por no citar a los otros abuelos o parientes cercanos, unidos también a ellos por los genes, pero a los que conozco menos que a mí misma.

En fin, son divagaciones que ni yo ni ningún padre nos hicimos jamás, ni nos hacemos, y que sólo son fruto, como digo, de la experiencia que proporcionan los años.

Hacia mediados del segundo trimestre, empezaron los catarros y las gripes y, como no podía ser de otra manera, nos llegó el turno a nosotros. Fuimos cayendo como estaba mandado, todos. Hugo, que es muy mal enfermo, o quizá se deba a la falta de costumbre de serlo, porque tiene una salud de hierro, tuvo fiebres altas que le obligaron, excepcionalmente, a guardar cama. Además, esta vez el malestar era cierto, y no inventado como en algunas otras ocasiones por la cercanía de un control. Tenía ante sí un prometedor viaje a Cantabria organizado por el colegio, que ya estaba pagado y a dos días vista y algo que yo pensé que aún le hacía más ilusión, la reincorporación a las infantiles del Real Madrid, donde había entrado de manera fulminante, aun cuando no hay que poner en duda sus dotes de jugador de fútbol, afición por otro lado que mostraba desde su primera infancia y en la que parecía destacar, porque un día se enteró por mí de que Lorenzo Sanz, presidente del Real Madrid C.F. —equipo del que Hugo, por si fuera poco, era hincha total, como todos los hombres de esta familia, y parece ser que de la de su padre también—, era viejo amigo mío, y como tal citaba su nombre en *La agenda de los amigos muertos*, por lo que me había oído hablar de él con grandes elogios. Pues bien, Lorenzo me había contestado una carta que le había enviado rogándole que concertara una cita con el responsable de las infantiles para que le hicieran una prueba. La carta, encantadora y muy amistosa, como no podía esperarse menos —y que desapareció de mi mesa al día siguiente de su llegada, pues Hugo se la llevó a clase para fardar de abuela y de sus amigos—, fue decisiva para que de inmediato me llamara un propio con la intención de concertar una cita para el día siguiente. Hugo no podía dar crédito a lo que le decía, y yo creo que esa noche durmió mal y contó las horas y los minutos que le separaban del ansiado momento. Cuando salimos del despacho del responsable del club, Hugo ya podía decir que iba a jugar en su ansiado equipo. Mi hijo Gonzalo, encargado de llevarle a los entrenamientos, me decía que el chico se quedaba parado cuando tenía que actuar y que no tenía nada que ver con el jugador que él había visto en la Chopera del Retiro, por ejemplo, donde jugaba con un equipo del barrio que ni siquiera estaba federado. La furia y el coraje que mostraba aquí le desaparecía en el campo del Real Madrid infantil... Yo, la verdad, no le daba mayor importancia, pues aunque creo que los deportes son el mejor entretenimiento a estas edades y que los apartan de muchos «charcos», nunca pensé que mi nieto pudiera convertirse, como le decía Lorenzo Sanz al final de su carta, en el «Hugo español», y tan bueno como su tocayo el... ¿mejicano? (Reconozco mi ignorancia, y no sin rubor, del mundillo futbolero y sus ídolos.)

No sé si mi hijo Gonzalo no me dijo nada sobre la reincorporación de mi nieto a su nuevo y soñado equipo o que, como digo, no le presté demasiada importancia, el caso es que yo pensaba en la excursión con el colegio más que en el fútbol, cuando Hugo cayó enfermo de gripe. Lo llevé a su pediatra, nuestra buena amiga Soledad Gallego, quien, como siempre, le hizo un cuidadoso y detenido reconocimiento, tras el cual me llevó aparte para que el paciente no la oyera, pues conocía su aprensión, y me dijo:

—Mírale con detenimiento unos pequeños puntos rojos, como puntas de alfiler, que tiene por el pecho y por el cuello; a mí me parecen petequias...

—¿Qué es eso, Soledad? —tuve que preguntarle.

—Son manchas parecidas a la picadura de una pulga, que no desaparecen por la presión del dedo y casi siempre anuncian un trastorno que se produce en algunas enfermedades, generalmente graves. En el caso de tu nieto, los síntomas pueden anunciarnos una meningitis.

Había un brote, que no epidemia, de esta enfermedad entre la población escolar (recordé haberlo oído por la mañana, muy temprano, en la radio, y luego en algún telediario), y la doctora Gallego mandó vestir al niño y me dio un volante para que le hicieran pruebas de urgencia en el hospital Gregorio Marañón, donde ella sabía que tenía amigas y donde, como ya he dicho, les habían hecho a lo largo de sus cortas vidas los análisis necesarios para conocer su estado de salud.

Cuando salimos de allí Hugo iba temblando, porque algo le había llegado a los oídos, sobre todo la temida palabra «meningitis».

—No te asustes, Hugo; Soledad sólo quiere quedarse tranquila y descartar que puedas tenerla.

—Bueno, pero llama a la tía Encarna, abuela, por favor.

Encarna, mi vieja amiga, trabajaba como secretaria en el laboratorio materno-infantil; en honor a la verdad, me había ayudado siempre en la labor que me había impuesto, y debo agradecer a Dios y a la suerte el que mis nietos hubieran nacido y crecieran sanos, teniendo en cuenta las circunstancias y la salud de sus padres en el momento de sus respectivos nacimientos.

Encarna vino de inmediato y al poco rato ya estaban haciéndole las pruebas que Soledad había pedido. Cuando traté de disculpar a mi nieto por lo mal cuidada que tenía la dentadura debido a una evidente falta de aseo, la pediatra de guardia me mandó fuera de la consulta y le dijo al chico que él ya era mayorcito para cuidar de su salud. Salí mascullando de allí y pensando en alguno de los eminentes pediatras que había conocido en la Asociación de la Prensa y en el trato diferencial y amistoso de los médicos particulares que habían atendido a mis hijos durante su infancia.

Protestaba airadamente ante mi amiga, que se sintió molesta, como era natural, cuando salió uno de los ayudantes de la médico que atendía a Hugo para rogarme que entrara en la consulta. Cinco personas con batas blancas o verdes sudaban y jadeaban ante el chico, que, furioso, no quería bajarse los pantalones para que le pusieran una inyección. Cuando me vio se convirtió en un niño lloroso y aterrado, al que sólo calmaron mis manos y mis caricias al tiempo que lo convertían en una persona razonable que se dispuso al sacrificio. Después se sintió avergonzado, pues ni siquiera se enteró de que le habían pinchado cuando la enfermera le dio un cachete en el trasero y le dijo: «¡Vamos!, ya puedes subirte los pantalones.» Con el gran sentido que tiene del ridículo —herencia, evidentemente, de su padre—, Hugo, con los ojos bajos y como si saliera de una batalla campal, me agarraba de la mano y decía, con los pantalones a medio muslo: «¡Qué vergüenza abubu, qué vergüenza!» Hasta la antipática y seria doctora cambió el adusto gesto y dulcificó la voz para calmar a Hugo y animarle diciéndole que no sería nada grave, porque esas pequeñas manchitas podían estar producidas por la fuerte faringitis que le había detectado.

En fin, afortunadamente la doctora tuvo razón, y a los dos días Hugo emprendía, con sus compañeros de clase, su viaje a Cantabria, aunque con el recordatorio para sus profesores de que no debían dejar de suministrarle la medicación hasta el final de la misma, que coincidiría con su regreso. La verdad es que no volví a acordarme del fútbol hasta que dos días después de su marcha Hugo me llamó por teléfono para decirme que llamara al señor con quien nos habíamos entrevistado para decirle que estaba enfermo y que no podría ir al entrenamiento —creo que era el cuarto en total con el paréntesis de las vacaciones navideñas—. Me enfadé con él, afeándole su falta de disciplina, sobre todo en temas, tan importantes se suponía, como era jugar en el Real Madrid, la supuesta ilusión de su vida. La verdad es que la riña se quedó en el aire, pues con el enfado, no me di cuenta de que estaba hablando con un interlocutor que había colgado hacía rato.

Se lo comenté a Gonzalo, quien me dijo que él me lo había dicho y que le había parecido raro que le diera permiso para irse de viaje, pero por entonces yo ya había decidido enfrentarme a la realidad de enderezar y educar a mis nietos sin estar pidiendo ayuda constantemente a mi hijo, que tenía sus obligaciones familiares, y, sobre todo, porque me molestaba el machismo de mis nietos. Éste se hizo patente un día en que uno de ellos, seguramente el mayor, me dijo: «Llama al tío Gonzalito para que te ayude.» Fue entonces cuando decidí que la única autoridad para ellos era yo, al menos en casa, ya que en el colegio iba a seguir apoyándome en el padre Oliver y en los educadores.

Lo del Real Madrid quedó en el olvido, al menos por mi parte, pero no por la de mi nieto, quien al cabo de los meses me preguntó si conocía a alguien en el Rayo Vallecano...

—Pues, no sé —contesté—. Creo que no. ¿Por qué?

—No, por nada; era sólo para saberlo.

—Por cierto —le dije—, ¿qué te pasó con las infantiles del Real Madrid?

—Nada, ¿por qué?

—No, por nada, pero es que no has vuelto, según he confirmado con el tío Gonzalo.

—Bueno..., verás, abuela, es que yo no juego lo bastante bien, comparado con otros chicos y... bueno, pues, me doy cuenta.

—Pero Hugo, hijo, ¿tú les has preguntado cúanto tiempo llevan? Tú sólo has ido tres veces, ¿o es que te dijo algo el entrenador?

—No, no, si a mí nadie me ha dicho nada, y..., bueno, algunos llevan tres años jugando y otros meses, el que menos ocho o nueve meses, pero yo sé que no sirvo.

Caí en la cuenta y me acordé de lo que me había dicho del Rayo Vallecano.

—¡Ah, claro! Por eso me preguntaste si conocía a alguien en el Rayo, ¿no?; ¿qué piensas, en irte al Rayo? Es decir, que tú cuando puedes entrar por una puerta prefieres hacerlo por una ventana, vamos, como si fueras un ladrón. ¿No comprendes que uno mismo no puede darse por vencido, sobre todo cuando has tenido la suerte de entrar en el equipo de tus sueños, y por la puerta grande?

No me hizo ni caso y este año, en 1999, juega en varios equipos, uno de ellos patrocinado por unos cerrajeros. ¡De verdad!...

Su hermano Nacho, siempre soñando con el baloncesto, se ha aficionado al fútbol y juega en el equipo del colegio. Además, es hincha de su hermano, y hace unos días cuando llegó a casa de un entrenamiento se encontró con varios jugadores del Real Madrid y su presidente Lorenzo Sanz, quien al ver el apellido creyó que era Hugo y les dijo a sus chicos: «Aquí tenéis a nuestro Hugo español» Nachete, con su habitual ingenuidad, le dijo que él no era sino su hermano. Lo cierto es que este chico se sabe buscar muy bien la vida y no se corta para hablar con quien sea y conseguir lo que desea. Es muy simpático, buena persona y un vividor, en el buen sentido de la palabra.

Con todos los papeles arreglados, incluida la declaración de la renta, había pedido unas becas de comedor y ayudas para libros, que me denegaron, porque nuestros ingresos, aun siendo bajos, son altos para eso, ¡vamos!, que no somos pobres de solemnidad ni estamos en el umbral de la pobreza, aunque algunas veces sí hemos ocupado la habitación contigua. Me lamenté con mi querido padre Oliver de que fueran las tías abuelas de los niños, sus respectivas madrinas de pila bautismal, las que siguieran pagando esos gastos, porque aparte de ello y el haberse prestado para el asunto de la tutela, no se interesaban lo más mínimo de mis nietos, a quienes no habían vuelto a ver desde el día del juzgado de familia, adonde no tuvieron más remedio que acudir. Tienen una idea muy extraña sobre mí, quizá la que le diera su difunto hermano cuando yo aún no las conocía ni ellos a mí, y la verdad es que tampoco he hecho para que la cambien. Les pago con la misma moneda que ellas a mi hija y al resto de mi familia. No me interesan, y aunque he procurado durante un tiempo que mis nietos fueran corteses con ellas, aunque sólo fuera por teléfono y en ocasiones puntuales, como fiestas de Navidad, onomásticas, etc., ellos no muestran interés alguno por sus parientas, de modo que yo acepto el pago del comedor y muchas gracias, porque las actividades extraescolares las pago yo, ya que si fuera por ellas no las hacen: «¡Bastante suerte tienen ya con ir a ese colegio!» Y me las imagino, por cómo son, llevando a los niños a un orfanato o a un colegio, exigiendo que se hicieran diferencias entre los niños pobres y los ricos, los primeros ataviados con babi a rayas, símbolo externo de su pobreza. Todo esto lo pensaba en sentido figurado, recordando el colegio de mi infancia, regido por religiosas, en el que la diferencia de clases era notoria; las alumnas de pago, vestidas con uniforme marrón, entrábamos por una puerta, y las gratuitas, ataviadas con un babi a rayas —obligatoriamente del tono de las de pago—, y ni siquiera un abrigo en invierno, pasaban por otra puerta que hasta incluso era más pequeña. Ya entonces me enfadaba muchísimo, y así se lo decía a mi madre, que en cierto modo lo encontraba natural y me aconsejaba que me callara y no protestara, porque a fin de cuentas eso a mí no me interesaba. Claro que eso era en su opinión, ya que una de mis íntimas pertenecía a la clase menos favorecida, y me dolía el que aunque íbamos juntas —era vecina mía— teníamos que despedirnos al llegar, y se me saltaban las lágrimas de rabia, me parecía incluso que hasta decrecían ella y la puerta a la hora de entrar a causa de la humillación que ello suponía, hasta que una mañana y no sé si voluntariamente, decidí entrar con ella. Me llevé una reprimenda importante, porque lo consideraron una falta de disciplina. Pues bien, supongo que a las tías de mis nietos, que eran de esa calaña, les habría gustado que sus sobrinos nietos y ahijados tuvieran que verse en aquella situación por el hecho de haber nacido de unos padres ensuciados por el pecado y la perdición, y que en su opinión habían matado a su hermano. Poco o ningún diálogo se podía entablar con personas de semejante mentalidad.

El padre Oliver, a quien yo confiaba mis cuitas, me aconsejaba sabiamente, diciéndome que dejara las cosas como estaban, que ya se encargaría él de hablar con las piadosas damas, que tenían mucho dinero y cuyo compromiso con mis nietos estaba avalado por el sacramento del bautismo, que para ellas, siendo tan devotas como eran, debería ser más que suficiente. «Pero no sólo para pagar el comedor, padre. Digo yo que lo normal, o al menos así me lo parece, es que se preocuparan también un poco de ellos en el sentido moral, máxime cuando creen que yo no soy muy fiable.»

El padre, diplomático y práctico, sonreía y me daba unas palmaditas en la espalda que me recordaban las palabras que me decía mi padre cuando, desde niña, me rebelaba contra las injusticias: «Mira hijita, si quieres ser feliz como dices, no analices muchacha, no analices...»

Es cierto que el tiempo pasa volando, y cuando quise darme cuenta estábamos en vísperas de Semana Santa; otras vacaciones, éstas amenizadas con los actos religiosos propios de la fecha, en los que Hugo, lo mismo que cuantos formaban parte del coro, trabajaban intensamente entre los ensayos y las sesiones religiosas. Fue su último curso de cantor, y me dio pena, pues a la inestabilidad emocional propia de sus pocos años, se sumaban sus recientes aficiones a las nuevas modas musicales, las cuales, dicho sea de paso, me parecían ruidos sin armonía apenas, pero que, afortunadamente, él y su hermano escuchaban con walkman y, por tanto, con auriculares, lo que hacía que apenas me enterara. Algunos títulos, como *Los pitufos maquineros*, por ejemplo, me hacían reír a carcajadas, en tanto que, otros nombres, como Siniestro Total, me horrorizaban.

Ya por aquellos días Raquel y Hugo habían vuelto a ser amigos para gran alegría de los respectivos hermanos, Quico y Nacho, que así reanudaban los fines de semana en su casa de Peñascales, donde sin duda lo pasaban mejor que en la ciudad. A veces, sobre todo los viernes, me pedían algún dinero por la mañana, porque toda la pandilla iba a comer su manjar predilecto, hamburguesas, y luego se «hacían un cine», con palomitas y coca-cola, naturalmente.

Un nuevo personaje entró en escena por entonces, una compañera de Raquel y Hugo, íntima de la primera, quien, al parecer (siempre según la información proporcionada por «radio-independiente-Nachete» —R.I.N. pirata—, era el nuevo amor de mi nieto mayor. Como él no me dijo nada, me hice la loca, pero pronto había otra cuyo nombre empezaba por J y que, con la misma vocecita adolescente de todas, preguntaba por Hugo. Él, si cogía yo el teléfono y no sabía decirle quién era porque no había preguntado o simplemente creía que se trataba de una de las antiguas, cuando agarraba el aparato, si se trataba del inalámbrico, se lo llevaba a su habitación y lo metía debajo de las sábanas, desde donde hablaba como si se tratara de un secreto de Estado. Cuando al cuarto de hora dejaba el escondite estaba colorado y sudoroso, y no permitía la más leve broma o insinuación al respecto. Tan sólo una vez, agobiado por tantas llamadas femeninas, me pidió que, como los nombres de sus amigas se repetían, sólo quería hablar con una Laura X, y no con las otras tres del mismo nombre; y lo mismo con las Anas, o las Marías, no recuerdo los apellidos, y apareció otra Raquel, que ni fu ni fa...

Sin querer revivía la adolescencia de mis hijos: las chicas, grabando con un clavo o cualquier objeto con punta los nombres de sus pretendientes (también «repes» muchos de ellos) en un precioso mueble perchero que me habían hecho para el pasillo, con lo cual a la hora de repararlo tuvieron que superponer una lámina de madera que cubriera los desperfectos, porque, ¡claro!, allí había muchos datos para el informe de un nuevo novio celoso que luego se convertiría en marido. También me venía a la memoria la primera vez que descubrí a mi hijo, aún adolescente, con una niña, amiga y de la edad de mis hijas pequeñas, en la cama. Juro que no abrí la puerta de su cuarto por indiscrección, ya que cuando entré en casa, pensando que lo encontraría doliente en la cama, con treinta y nueve de fiebre —por lo menos—, todas las luces estaban encendidas y se oía música en su habitación. Lo más natural fue dirigirme hasta allí e intentar entrar, pero al hacerlo noté resistencia e insistí; cuando finalmente la puerta cedió, me encontré con una jovencita, supuestamente desnuda, que se cubría en parte con la sábana mientras mi hijo intentaba ponerse los calzoncillos. No se me ocurrió más que preguntarle a ella: «Supongo que estarás preparada ¿no?»

Antes de que me contestara y de que el chico cubriera sus vergüenzas, cerré la puerta y me fui hacia la cocina a dejar las cestas que traía con comida; se apoderó de mí una sensación de ridículo como jamás había experimentado en mi vida.

Por entonces podía alquilar una casita en un pueblo cercano a Madrid, donde marchar en cuanto tenían vacaciones. Los fines de semana iba yo a llenarles la despensa, a dejar dinero y a ver a mis hijos, cuando estaban en casa, pues la mayoría de las veces se habían ido de excursión, nadaban en la piscina o asistían a una sesión de cine al aire libre en el mismo local de ésta —y conste que el orden de factores era como lo expongo.

Mis nuevos hijos, los nietos, añoraban la casa que había comprado el abuelo antes de morir y en la que vivía la tía Pilar, pero sabían que allí no podían ir. La última vez que lo hicieran fue acompañados por una amiga mía, que se prestó a hacer de mediadora —aún vivía mi hija—, para poder cobrar la mitad de la renta de una de las propiedades que el abuelo les dejara en herencia a ellos y a sus otros dos nietos. Y no les gustó la compañía de la tía, ni cómo estaba la casa, por lo que ni siquiera quisieron quedarse a comer, pero a la vuelta nos contaron que habían dejado buenos amigos allí y que lo habían pasado muy bien.

—Porque esa casa también es nuestra, ¿verdad abuela?

—Sí, en efecto, pero por el momento, como habéis podido ver, es sólo de vuestra tía.

Al llegar a Madrid teníamos una llamada de Paco y Puri, los padres de Raquel y Quico. Nos invitaban a Peñascales a comer dos días después, y hasta allá nos fuimos en tren. En la estación nos esperaban el padre y los dos hijos. Pasamos un día delicioso, Nacho y Hugo se quedaron, como casi siempre, con aquella encantadora familia. También nosotros, es decir, los padres y yo, nos hicimos amigos; no sé cómo me veían ellos, pero yo los sentía como los hijos ideales, y, en consecuencia, también eran los padres casi perfectos. Sentí envidia, sana envidia, porque me habría gustado que lo fueran de mis nietos.

A la semana siguiente, aún de vacaciones, los invité a comer en mi casa, y también al resto de mis hijos. Hice, como en los buenos tiempos, cuando nos reuníamos más de quince personas en la amplia cocina comedor, una comida rotunda, de las que a mí me gustan cuando tengo invitados de excepción —ya no recuerdo si fue un cocido madrileño, una fabada o un potaje «de monjas»—. Dicen que soy buena cocinera y sorprendo a cuantos no saben que poseo esta habilidad, pues no sé por qué imaginan y dan por descontado que debo de ser un desastre, no sólo en el arte culinario, sino en todo lo que se refiere a la casa. Al final, sin embargo, termino dando las recetas de mis guisos, no sólo a mis hijos, sino a todos los amigos/as, que se precian de ser amos/as de casa perfectos/as, lo mismo que ayudándoles en la decoración de sus hogares. Como en la misma cocina tengo una pequeña biblioteca, siempre comento, a título de anécdota, que Emilia Pardo Bazán, la genial escritora y mujer, autora, entre otras obras, de *La cuestión palpitante* y creadora con Zola del naturalismo literario, escribió uno de los más bellos e interesantes libros de cocina que se hayan publicado y que yo presté a alguien que no me ha devuelto. Entonces siempre se levanta una voz, aparte de la de mis hijos, que me ruegan que escriba yo uno...

Con esa comida se consolidó más mi amistad con la joven pareja y la de ésta con mis hijos, sobre todo con Beatriz, Luis y su hijo Jorge. Los chicos lo pasaron en grande y mis nietos-hijos, como llamo a Hugo y a Nacho, me expresaron su contento. Se sentían orgullosos de mí, y era razón más que suficiente para que diera por bien empleado el trabajo que conlleva una reunión de este tipo.

IV

Llega el verano y el colegio no puede, por falta de quórum, abrir el albergue de Las Navas — Ana, mi nuera, nos trae un panfleto del Retiro que anuncia un campamento en Almazán (Soria) — Agosto en Ladrido de Ortigueira (A Coruña) — Yo me quedo en Madrid con Mónica — Mis cuatro días en el «fin del mundo» y... un nuevo curso.

Hugo había divisado el mar en su viaje a Cantabria, pero no lo había visto, y yo le había prometido que aquel verano sería el definitivo. No podía fallar. Tampoco quería ser como Dédalo, ni que Hugo fuese Ícaro. En la leyenda, Ícaro, hijo de Dédalo, huye de la prisión en la isla de Creta con su padre, valiéndose de unas alas hechas de plumas que habían sujetado con cera, pero Ícaro se aproximó demasiado al Sol, la cera se derritió y el pobre cayó al mar...

Me sentía Dédalo, y en esta oportunidad no dejaría caer a mi hijo; buscaríamos otro artilugio y Hugo vería el mar sin caer en él. Pero lo que más me importaba de esta historia era sacar a Hugo de la prisión de sus recuerdos, de las promesas incumplidas en repetidas ocasiones por sus mayores. Yo no podía fallarle, porque como siempre sus ojos me decían que tenía una fe ciega en mí.

Un duro golpe fue enterarnos de que ese año no habría campamento porque muchas familias se habían rajado a última hora y, por tanto, no había quórum, o por decirlo más llanamente, dinero suficiente para «levantar el cierre» del albergue. Quedamos muy desilusionados, y los chicos hechos polvo, porque en los dos años anteriores los quince días de Las Navas habían sido definitivos. El colegio acabó y, como dice el refrán: «Cada mochuelo a su olivo.» Desde luego, había que buscar una solución, porque el verano en Jorge Juan, o lo que es lo mismo, en pleno centro de Madrid, que se vuelve una ciudad inhabitable, no había quien lo aguantara. Gonzalo y Ana, habituales del Retiro los domingos por la mañana, trajeron la solución en forma de panfleto que anunciaba un campamento en la villa de Almazán, cercana a Soria. Yo pensé enseguida en Machado, en el Duero, en Ridruejo...

—Abuela, tú eres una lírica, porque aparte de tus amigos poetas, ¿qué hay de divertido allí?

—Bueno, bueno, no os alteréis; preguntaremos el lunes en la Casa de Soria que es quien, según el folleto, organiza el campamento... ¡Ah! y en Soria, además, preparan una mantequilla muy famosa...

Hacía un par de meses que había contratado a una chica para que me ayudara en las tareas de la casa, pues yo andaba enfrascada en una biografía de un político liberal que me habían encargado y que, como ya he dicho al principio, fue uno de los muchos actos fallidos de mi vida profesional, en busca de dinero para darles a mis nietos una mejor vida. Bien, me la recomendó Cristina, un ángel en forma de estudiante de pedagogía que durante el invierno no sólo había ayudado a mis «jenízaros» en sus deberes, sino que se había convertido, junto con su novio, en la compañera ideal para ir al cine, al parque de atracciones, al campo... Nana, que así llamaban a la recomendada, más amiga de la madre de Cristina que de ésta y compañera de clases de tarot, ocultismo y magia de aquélla, fue la protagonista de aquel verano, la acompañante de los chicos al «fin del mundo», como llamo yo a una aldea gallega que se llama Ladrido de Ortigueira, porque fue con ella con quien se irían después del famoso campamento de Almazán. Pero volvamos allí. Yo, de Soria, y a pesar de mis amigos los poetas —como decían mis nietos— y del «padre Duero», «ni el polvo», como dijera un día mi admirada maestra Teresa de Jesús de su nativa Ávila. A mí, personalmente, y en mi época de casada con el padre de mis hijos, Soria me había tratado mal, y su recuerdo no me era grato. Luego, con el paso de los años, conocí a mi amigo el notario. «Señor de Soria», le llamaba yo como título ilustre, pero sobre todo por ser pariente de uno de mis poetas predilectos, Dionisio Ridruejo. Y les leí a mis nietos, para que tuvieran una buena opinión de la Soria adonde iban a ir, un poema de mi «amigo» Ridruejo: *La tarde en los pinares*: «El aroma se erguía edificando / un segundo pinar en cielo puro; / el aire, al filo de la tarde oscuro, / temblaba en manos del helecho blando. / La paz de astada yunta, caminando, / movía el polvo cándido, inseguro, / y el rubio llanto por el tronco duro / estaba, en manso bienestar, manando. / Las huellas eran, en la suave arena, / cripta fugaz, eterna a nuestros ojos, / donde quedaba nuestra voz serena, / y, aspirando sus cálidos despojos, / ciñó tu aliento la fragancia plena / entre unos dobles horizontes rojos.»

Creo que fue Hugo, el que reclamó a mi amigo Machado quizá porque se había hecho más popular gracias a Serrat y a otros cantautores, para aguantar Soria, donde decididamente iban a pasar los quince días de campamento, así que les leí algunas estrofas de: *A un olmo seco,* de Antonio Machado. Sugiero que las lean atentamente: «Al olmo viejo, hendido por el rayo / y en su mitad podrido, / con las lluvias de abril y el sol de mayo, / algunas hojas verdes le han salido. / ¡El olmo centenario en la colina / que lame el Duero! Un musgo amarillento / le mancha la corteza blanquecina / al tronco carcomido y polvoriento.

»Antes que te derribe, olmo del Duero, / con su hacha el leñador, y el carpintero / te convierta en melena de campaña, / lanza de carro o yugo de carreta; / antes que rojo en el hogar, mañana, / ardas de alguna mísera caseta, / al borde de un camino; / antes que te descuaje un torbellino / y tronche el soplo de las sierras blancas; / antes que el río hasta la mar te empuje / por valles y barrancas, / olmo, quiero anotar en mi cartera / la gracia de tu rama verdecida. / Mi corazón espera / también, hacia la luz y hacia la vida, / otro milagro de la primavera.»

Trataba de animar a mis nietos.

—No vamos a conocer a nadie allí, abuela —decían—, y es un corte...

—Ya lo sé, hijos míos, pero la ventaja de vuestra edad es que los amigos se hacen con la misma rapidez con que el rayo (ya que vamos de poetas) mata una res o quema un bosque. No os preocupéis por eso; seguro que hasta en el mismo autobús o en el tren hacéis amigos.

No fue así, porque Susa, que era la encargada de llevarlos al transporte colectivo que nos habían señalado los de la vetusta Casa de Soria (de la que yo, a decir verdad, sólo conocía el bingo, porque aún a diez años de morir mi padre le mandaban publicidad del mismo), llegó tarde aquel día y tuvieron que coger un transporte público pero individual, con lo que tuve que llamar a Almazán para avisar que mis nietos llegarían más tarde. ¡Toda una movida!, pero ¡al fin llegaron!, y así me lo hizo saber una voz masculina a primera hora de la noche. Dormí tranquila a pesar de que no pude hablar con mis nietos, pero tuve pesadillas, y cuando a medianoche desperté, como siempre, me pareció observar un gesto de contrariedad en la foto de Ada, que preside la cabecera de mi cama...

Todavía era julio y quedaban muchos amigos en Madrid, por lo que mi agenda estaba repleta de citas agradables con viejos conocidos, lo que, sin duda, harían más llevaderos los quince días de ausencia de mis queridos «jenízaros».

Como en la copla que dice «ni contigo ni sin ti tienen mis penas remedio / contigo, porque no vivo / y, sin ti, porque me muero», algo así me sucedía a mí y me acordaba tanto de ellos que me pasé los días agobiada por las compras, sobre todo de comida, para que no faltara de nada a su regreso. Me entregué a la cocina con fervor casi de profesional, ensayando verduras con legumbres, besameles en forma de croquetas; pastas de todas clases (en el fondo me había convertido en una madre o esposa burguesa que quiere conquistar al hombre por el estómago, algo que no había hecho ni con mi propio hijo), peleaba en el mercado por el mejor pez espada o un salmón, para hacerlo marinado; compraba hierbas para la carne, para el pescado; verduras que sabía no se iban a comer, pero resultaban tan decorativas; frutas variadas para hacer centros... No sé, me estaba volviendo una mujercita de mi casa, y eso me horrorizaba al tiempo que, inconscientemente, me esclavizaba y ponía (lo que no había hecho cuando fui madre) como excusa para la no asistencia a una cena, el cuidado de los niños... Pero con los niños siempre pasa igual, que crecen y crecen y sin darnos cuenta tenemos a unos adultos exigentes que hacen lo que les viene en gana y exigen a los demás —en este caso a mí, su responsable—, dedicación plena.

No es que lo use como disculpa, pero confieso que me llevaron a este punto, por un lado, las ausencias que, por imperativos materiales, tuve con mis hijos y que siempre me han recordado sobre todo las pequeñas, y, por otro, demostrar mi valía en terrenos considerados en general menores, como es el hogar, no la casa, pues entiendo, y lo dice María Moliner, que es «el sitio donde se hace el fuego en las cocinas, en las fraguas, en las chimeneas, en los hornos o en las máquinas», pero con respecto a una persona —y esto es lo que me interesa—, «lugar donde vive en la intimidad con su familia y desarrolla su vida privada».

Lo cierto es que en mis sueños de niña, que algún día relaté en forma de poemas, siempre aparecía una familia muy larga. No me importaba parir, aunque digo, y a toro pasado, que ningún parto es bueno, si con ello configuraba una familia... ¿feliz? Así la presuponía, con el soporte de un marido ideal, compañero, adinerado, culto, sensible, viajero, pero... conmigo, claro, y con mis/nuestros hijos; una mezcla, si ello fuera posible, de Lord Byron, Séneca, Apolo, Oscar Wilde, Mozart, Galileo, Jesucristo e Ignacio de Loyola (¡vaya cóctel peligroso!). Hubiera escrito los poemas más hermosos, colocado las flores más armoniosas y educado a mis hijos en lo fundamental, que es, a mi modo de ver, la hidalguía y el saber mandar, pero todo se quedó en agua de borrajas con la elección del padre de mis hijos, quien de entrada me los adjudicó sin preguntarme siquiera si los quería para mí sola. (Tal vez por eso admire tanto a las mujeres que, como mi querida y desaparecida Pilar Miró, deciden un día tener un hijo propio, con padre conocido y elegido tan sólo por ella.)

En el campamento de Almazán regían las mismas normas que en el albergue de Las Navas: una sola visita de la familia, y ya casi al final de la quincena. Nos invitaron a comer el mismo día que ETA mató al concejal de Ermua, Miguel Ángel Blanco. Fuimos mi hijo Gonzalo, Ana, su mujer, que ya esperaba a Celia, mi amiga Encarna y yo... Llegamos al lugar cuando empezaban a servir una comida que podría calificar de mala, pero..., como dijo uno de los padres, gratis... La verdad es que lo de menos era la comida, porque a lo que habíamos ido allí era a ver a los chicos. El edificio, en pleno centro del pueblo, era de aquellos de FET y de las JONS, de arquitectura franquista que desentonaba mucho con el entorno espectacular. Los acampados no estaban, pues había pasado la misa y otros actos y les habían dado suelta para que visitaran algún monumento. Cuando llegaron, casi no los reconocí; apenas hacía dos semanas que se habían marchado y los encontré, aparte de guarros —habitual en esas situaciones—, un punto macarras, y es que el entorno lo era. Hice un cálculo mental calidad-precio y sin querer comparé con el albergue de Las Navas... ¡Nada que ver! El campamento de Almazán me había costado más caro que el albergue, y ni punto de comparación. Pensé en llamar, en cuanto llegara a Madrid, al padre Oliver y a Regina, y así lo hice, pero ¡no estaban! Pasamos el rato lo mejor que pudimos, pendientes durante la comida de las noticias que, a través de la tele, llegaban del País Vasco, sobre el secuestro del pobre concejal. Coincidimos todos en la indignación y en no disculparnos por dejar los platos intactos: migas con uvas (nadando en aceite y pimentón) y magro de cerdo con embutidos, igualmente saturados de grasa frita... Creo que aunque a algunos debieron de parecerles manjares, la mayoría dejamos los platos intactos y después asistimos a una breve representación y a la visita de los dormitorios, zonas de aseo, etc. Le comuniqué a Gonzalo mi deseo de marcharnos de inmediato, entre otras cosas porque mis nietos no nos hacían ni caso y me encontraba incómoda en aquel lugar. El viaje de regreso fue infernal, pues sentía remordimientos por haber dejado allí a mis nietos, aparte de recibir la trágica noticia de que habían encontrado muerto a Miguel Ángel entre unos matorrales, con un tiro en la cabeza, según nos enteramos cuando, al salir de Almazán, paramos en una gasolinera a llenar el depósito y a comprar agua. Lo poco que habíamos comido se nos había quedado atrancado en el estómago, literalmente. ¡Vamos, que las migas reclamaban agua!

Entre una cosa y otra hicimos el trayecto en silencio, escuchando por radio las noticias acerca del trágico asesinato de aquel pobre muchacho en un pueblecito de Euskadi, cuyo único delito era haber intentado servir a sus conciudadanos, por lo que no cobraba ni un duro. Sin conocerlo, lloré por él y me sentí muy cerca de sus padres.

Cuando entré en mi casa, solitaria y silenciosa, añoré a mis «jenízaros» y sus ruidos y peleas que tanto me molestaban. Estaba visto que el silencio y yo no éramos compatibles más que por un breve espacio de tiempo, y llevaba demasiados días sin compañía de nadie. Me senté en un sillón de mi cuarto y hablé sola, como lo hago en múltiples ocasiones, dirigiéndome a las fotos de mi hija Ada, a las de mis padres y a las del resto de mis hijos.

La mala impresión que a todos nos produjo el campamento, más que Almazán, se disipó cuando luego he vuelto otras veces a ver a una nueva amiga, restauradora y anticuaria que vive allí, María Jesús de Miguel, y he cambiado de opinión.

Lo importante es que ellos lo pasaron muy bien, y, ¡como no!, Hugo se enamoró de una niña. Creo que se llamaba María, y quedó citado con ella en Madrid, en la puerta de nuestra casa, para ir al cine y a merendar; la segunda cita fue en Colmenar, sin especificar cuál —cerca de Madrid hay más de un pueblo que se llama así—. Se fue una tarde muy temprano, cogió un autobús equivocado, tuvo que regresar, coger otro y entre bus y bus, llamaba por teléfono a casa, y lo mismo hacía la nueva amiga, que le esperaba en la parada delante de no se qué establecimiento, y yo, que era quien cogía el teléfono le preguntaba que cuál de los Colmenar era donde vivía ella... «Pues no sé, Colmenar...», y se cortaba la comunicación del teléfono público. En resumen, cerca de las once de la noche —Hugo había salido de casa sobre las cuatro de la tarde— y no sé si habiéndose encontrado, le trajo a Madrid una tía de la niña que había visitado a su hermana. Debió de sentirse tan ridículo (con lo fuerte que es este sentimiento en él) que se acabaron los amores apenas esbozados.

El regreso de los campamentos era siempre igual. Aparte de traer un equipaje tan guarro y mal lavado (ellos se hacían la propia colada) que daban ganas de tirarlo todo, incluida la bolsa de viaje, a la basura. En esta ocasión, más que cuando regresaban del albergue de Las Navas, se habían acostumbrado a una anarquía total, en lo que a horarios se refería, sobre todo por la noche; «enganchados» a la televisión y a la videoconsola, no encontraban el momento de irse a dormir y, naturalmente, por la mañana se levantaban casi a la hora en que comían en el colegio.

Teníamos por delante quince días de julio, con un calor asfixiante y las calles, al menos todas las de los alrededores de nuestra casa, en obras, con el consiguiente ruido de las pesadas máquinas que abrían las zanjas y luego el desagradable olor del asfalto y su vaho infernal. Vivimos en un primer piso, y durante esa época está prohibido abrir los balcones durante el día. Todos nos quejábamos de la situación, y por si fuera poco me decidí a pintar y a acometer alguna pequeña obra en casa. Los chicos se fueron con Susa a su casa de Arganda del Rey, una localidad próxima a Madrid. No he hablado aún de esta pintoresca muchacha, manzana de la discordia y, si me descuido, huéspeda eterna. Era joven, guapa de cara y gorda-gordísima, aunque sin complejo alguno (en el fondo creo que le pasaba como a Nachete con su eterno deseo de no crecer, o como a los perros grandes que cuando tienen un pequeño compañero se mimetizan con él y se creen de su tamaño). Susa se vestía con la misma ropa que una modelo sílfide o anoréxica, y usaba idéntica talla de ropa interior que la mía, que soy bastante flaca y poco exuberante. Pero es que además, y ya lo he dicho, era nigromante. Se instaló en una de las habitaciones más grandes de la casa y la llenó de ángeles de todos los tamaños y de velas de todos los colores —según el deseo que pidiera el cliente—, a los que citaba aquí. Estaba convencida de que la había mandado mi hija

Ada, y alguna vez me preguntó si mi padre era moreno, tenía barba y vestía de negro, porque un señor de esta guisa se paseaba por el pasillo en cuanto se quedaba sola por la noche, cuando todos dormíamos. Ella sabía, porque yo se lo había dicho, que mi padre había fallecido hacía once años. Decía ser hija de un cura, en cuya casa sirvió su madre cuando llegó del pueblo, y la odiaba por ello y por haberse casado —para darle un padre legítimo—, con un pobre hombre, analfabeto y borrachín pero buena persona. Sufría de enfermedades imaginarias que la hacían acudir con frecuencia a las urgencias, y le había gustado mi casa porque estaba cerca de la iglesia dónde ella creía que decía misa su padre natural. Lo cierto es que la madre nunca le despejó la incógnita y ella sufría bastante y, con algo más de cultura que sus padres, se refugiaba en el esoterismo y las ciencias ocultas, gastándose casi todo lo que ganaba en libros y consejos de brujas estereotipadas, de esas que imparten cursos de fin de semana.

Lo cierto es que aquella familia, con sus pocas luces y su humilde casa, acogió a mis nietos con mucho cariño, cosa que les agradeceré eternamente, y ellos como hacían lo que querían, que era ver todo el día la televisión, comer cuando tenían hambre y ducharse cuando tenían ganas, lo pasaron bien.

Mientras, en Madrid, aparte de la invasión de pintores y albañiles, el primer noviete de Susa y los otros, su padre y su hermano, la casa se volvió inhabitable —razón por la que los chicos trasladaron su residencia— y las obras, que al final quedaron hechas una chapuza, se alargaron hasta bien entrado el invierno.

Desde el verano anterior había pensado en ir a Galicia en agosto, y así se lo había dicho a Gonzalo, con idea de que un hermano de Ana, casado con una gallega y que vivía allí, mirara algunas casitas en las aldeas cercanas a Ortigueira, donde mi nuera pasaba los veranos desde su niñez, en el caserón solariego de su abuela materna y donde habían nacido su madre y sus tíos. No nos tratábamos demasiado; bueno, la verdad es que apenas si nos conocíamos, a pesar de ser vecinos en Madrid. Éramos muy distintos y nunca quise darle mayor importancia porque veía a mi hijo feliz, primero con su novia y luego mujer, y confieso que la unión que tenía con su familia política me hizo sentir celosa en más de una ocasión, pero pronto pensé que era ley de vida y que los refranes, de los que tan partidaria era mi madre, tenían su punto de razón; los padres de Ana habían ganado un hijo que yo había perdido.

El calor era inaguantable en Madrid, pero no lo era menos en Arganda. Mis nietos se cansaron de ver películas de vídeo e insulsos programas de televisión y de vivir en una casa tan pequeña, y Susa también estaba hasta las narices de su familia, así que se volvieron a Madrid, donde la casa «patas arriba» les pareció un oasis. Ella iba y venía, es decir, seguía como la había contratado, de externa, hasta que, aprovechando una huelga de transporte que le hacía llegar todos los días dos o tres horas tarde, se instaló en mi casa, en la habitación que, supuestamente era de Mónica, a la que tomó mucho cariño y atendía por mi mandato, pero sin que ella lo supiera. La verdad es que entre el calor y el trabajo casi ni me di cuenta del cambio de situación, de que ella recibía a su clientela nigromántica ni de que la habitación, como he dicho, estaba invadida por velas de todos los colores —según lo que el/la cliente pidiera— e imágenes de ángeles, querubines y santos mezcladas con símbolos demoníacos, alguno masónico y la estrella de David, más o menos como el altar de un santero antillano. A mí todo aquello, a excepción de la parafernalia simbólica, me recordaba a mi madre, que fue médium, como ya conté, de mi abuelo, el nacido en Cuba y masón.

Habían pasado los primeros diez días de agosto y mi hijo

me llamaba para decirme que iba a perder la fianza que había dado por alquilar la casa de Ladrido y que estaba dejando mal a su cuñado, a quien el dueño de la misma responsabilizaba, y me pedía el resto, pues ahora ya no podía alquilarla. Así las cosas, y con Mónica mal y mis nietos enfrentados conmigo por su causa, decidí que los chicos se fueran a Ladrido de Ortigueira en compañía de la oronda muchacha, con la promesa de que pronto me uniría a ellos, en cuanto solucionase el tema de mi hija pequeña, que consistía, ni más ni menos, en internarla en algún centro terapéutico para su desintoxicación.

El hecho de que Gonzalo y Ana estuvieran cerca me tranquilizaba y me aseguraba el saber que a Hugo y Nacho no les faltaría de nada, pero lo malo era que ellos a mediados de mes se iban a Gijón, como todos los años, pues el suegro de mi hijo era de allí y constituía una especie de rito el dividir las vacaciones entre uno y otro lugar.

Sabía que Gonzalo los había ido a buscar a Ferrol, pues desde allí hasta su destino sólo había un ferrocarril de vía estrecha —FEVE—, para el que tenían que esperar unas horas, o un autobús, cuyo horario no coincidía con la llegada del tren. ¡En fin!, que ya entonces empecé a pensar que el pueblo elegido era el culo del mundo. Aún así, y a pesar de que ni siquiera tenía playa, sino ría, los chicos lo pasaron en grande, pues Susa se hizo amiga del casero, Pepe —los niños decían que era su novio—, quien la llevaba a hacer la compra en un viejo Mercedes que había comprado hacía años en Alemania, adonde había ido como inmigrante, a conocer los alrededores y a hacer excursiones por el monte. La casa del tal Pepe y su familia estaba prácticamente pegada a la nuestra y tenía el aliciente de un par de vaquiñas rubias y lecheras, a las que mis nietos, naturalmente, aprendieron a ordeñar. Además, había una mula preñada, que parió ante sus asombrados ojos, gallinas y un par de perros, así como un caballo de carreras, de pura raza, que había nacido mal y se lo habían dado al tal Pepe en pago de no sé qué y que reservaba para su hijo pequeño, que quería ser yóquey. Por si fuera poco, y esto sucedía en los últimos días de agosto cuando yo ya estaba allí, contemplaron la escena, única de ver, el intento de que el caballo, virgen, montara a una yegua de pura sangre, también virgen. Eligieron para ello un prado cercano, casi pegado a la ría, y allí había un par de mamporreros que a pesar de toda su paciencia, y después de más de dos horas —tres o cuatro intentos—, no lograron que los animales se aparearan, y hasta se enteraron de que tendrían que volver a la faena horas después, ya que las hembras equinas sólo son fértiles durante unas horas cada bastantes meses... ¡Todo un espectáculo!, al tiempo que una sabia lección de la naturaleza a una edad en la que ya comenzaba la adolescencia de mis nietos, sobre todo la del mayor. ¡Y qué mejor explicación...! Todo esto los tenía alucinados y tan entretenidos que ni siquiera se acordaban de los videojuegos ni de la televisión, entre otras cosas porque en la casa no había y tenían que pasar a la del casero si querían verla. Por supuesto, les divertían más los animales y la huerta, contigua a la casa como en casi todas las de las aldeas gallegas.

En Madrid yo lo pasaba mal, francamente mal; sin querer, revivía a diario el final de mi hija mayor, hecho que se veía acrecentado porque la película de los veinte años pasados me pasaba por la mente, como a cámara lenta, dramatizada por las ausencias nocturnas y las llamadas de madrugada de algún/a gamberro/a o amante airado y escaldado de Mónica. Dormía mal o no dormía, pero tampoco tenía ganas de escribir ni de salir, sólo esperaba con ansiedad las primeras horas de la mañana para hablar con mis nietos, para cerrar los ojos e imaginar el paisaje gallego, con calor y sol reluciente, algo inusual por allí a aquellas alturas del verano, recreándome en las historias que me contaban.

Mis nietos, que no estaban acostumbrados a la mar y menos a las mareas, totalmente desconocidas para ellos, aunque las habían estudiado, decidieron una mañana irse los dos, descalzos y en bañador, desde Ladrido hasta Ortigueira, cruzando la ría, con la marea baja, porque querían fotografiar a una vaca que veían desde su observatorio. Hugo, más miedoso o más sensato, decidió volverse a medio camino, pero Nacho siguió adelante, con su cámara colgada al cuello. Estaba llegando a su objetivo cuando sintió un doloroso pinchazo en un pie; era la aguja de un pez que llaman jalapote, que se esconde en la arena y que, al notar que lo pisan, clava como defensa una especie de pincho que se mete en la carne y produce una gran inflamación acompañada de fuertes dolores. Cuando se volvió para pedir ayuda a su hermano, Nacho se encontró solo y al otro riéndose en tierra firme, en el lado de donde habían partido. Quiso volver él también, pero la marea había empezado a subir y el camino de arena que recorriera minutos antes desaparecía de forma vertiginosa bajo las aguas.

Acababan de llegar y él, ciudadano de tierra adentro, no se lo podía explicar. Pasado el primer susto, y después de haber llegado como pudo, preguntó y se cercioró de que estaba en Ortigueira, donde vivía el tío Gonzalo y, cojeando, se dispuso a buscarlo. Lo encontró poco después, porque Hugo, asustado, se lo había contado a Susa, quien llamó a mi hijo y partió al momento con el casero, Pepe, para auxiliar al chico.

Por fortuna, no pasó nada; un médico de urgencia le sacó el pincho y le hizo una cura, y Nacho, a partir de entonces, supo, primero, que es peligroso andar descalzo por una ría y que las sandalias de plástico que habían comprado, aunque le parecieran feas, eran para eso, y, segundo, que las mareas son traidoras, tanto cuando bajan como cuando suben, porque se corre el peligro de quedarse en seco si se va en una embarcación o de terminar en la mar abierta con todas sus consecuencias. Poco a poco, y gracias a éste y parecidos incidentes, se fueron familiarizando con la mar y sus leyes ancestrales, y les gustó tanto que han decidido pasar los veranos en Galicia, pero más cerca de la civilización y de una playa, a ser posible próxima a A Coruña, ciudad donde nació su padre y, como les recordaba yo, mi madre y mi hermana, así como el abuelo paterno de la madre de ellos, un personaje encantador e irrepetible, médico oftalmólogo, pintor más que discreto, compositor y humanista en fin, como los médicos del Renacimiento, que nació en Pontevedra, donde su padre era profesor de instituto; estudió medicina en Santiago de Compostela y durante los primeros años ejerció por aquellos pagos como médico rural.

«O, bueno», decía Nacho, «también podemos ir a Pontevedra...» Me habían oído hablar muchas veces, y en esta ocasión quejándome, de que deberíamos haber ido allí de donde era mi amiga María y sus padres, y donde pasaba los veranos, así como de dos primos hermanos míos, hijos del hermano mayor de mi padre, que fue marino y murió muy joven de tuberculosis.

Pero volvamos a Madrid, donde yo estaba, pues lo que acabo de contar era fruto de mis conversaciones telefónicas y de mi imaginación, ya que, como decía, mi vida era un caos y la estabilidad emocional que había empezado a recobrar estaba en franco receso. A esto hay que añadir que no tenía un duro, y el último dinero que me quedaba se lo había mandado a Nacho y Hugo para que hicieran la compra diaria y poco más.

Un siniestro y enganchado muchacho, amigo, compañero y extraño enamorado de Mónica por aquellos días, que tiraba a manos llenas el dinero de la herencia de su padre, que no pudo sobrevivir al dolor de perder un hijo y ver en poco tiempo a éste en la misma vía que el mayor, me prestó un dinero, y mi buen amigo el notario puso el resto para que, ya en los últimos días de agosto, me decidiera a marchar porque veía que me metía de nuevo en el pozo y no podía; ¿cómo iba a dejar a mis nietos tirados en un lugar desconocido con una casi extraña que tampoco tenía un duro...?

En la obligada (¿huida?) dejé a Mónica sola en mi casa y hasta con dinero para pagar la luz (que, naturalmente, no pagó, como así tampoco con el que pidió al notario para el mismo fin, con lo que me encontré a punto de que la cortaran el mismo día en que llegué), además de la nevera llena, tabaco y algún dinero de bolsillo. (Acepto si me llamáis loca, insensata o visionaria.)

Creo que influyó este poema que le dediqué cuando tenía cinco años. Durante el insomnio me dio por releer mis *Poemas de Soledad.* Se titula «¡Cinco mil años!» y dice así: «Me has pisado, pequeña de cinco mil años; / me has pisado y has despertado mis entrañas, / cuando me has dicho que hace, ¡nada más y nada menos! / con tus cinco años de existencia, / que llevas enamorada, ¡nada menos y nada más! / que cinco mil, de un niño que sólo tiene ocho... / Hoy he visto el día y el vientre de mi madre; / el rocío, como lágrimas del tiempo; / la oscuridad como llanto de la luz; / el sol, como contrapunto al cielo; / la nevada como principio del invierno; / el tallo florecido como capullo entreabierto; / la sangre de cien mil vírgenes, que, / luego, parieran al universo entero... / Hoy comprendo, pequeña de cinco años de tiempo / y cinco mil de tinieblas escritas en un milenio, / que todo cabe en un puño muy pequeño: / el amor y la amistad; la comprensión / el deseo, los compases de un concierto / y, hasta el lamento de un viejo. / Hoy he nacido de nuevo, / con dimensiones distintas, lágrimas nuevas / con brotes tiernos, y deseos y ternura / con ojos distintos abiertos a los mil y un horizontes / que pueden ofrecer, ¡cinco mil años de tiempo! / Entreabriendo la ventana veo / que está amaneciendo.

Quiero rezar y no sé. / Pedir perdón y, ¡no puedo! / porque mi perdón exacto, el perdón que yo deseo, / sólo me lo puede dar el tiempo, inexacto, / ¡por supuesto!, como el de la niña que, / con cinco años, lleva enamorada ¡cinco milenios!»

Mónica, mi último bebé..., como le decía en otro poema, una capricornio difícil, como todos los niños de este signo zodiacal; segura y decidida en apariencia; débil y temerosa desde mi vientre, y encima cree que no la quiero y no se da cuenta de que daría la vida por ella, como la hubiera dado por Ada y por el resto de mis hijos. Ella no lo sabe porque no los ha tenido, ya que desde sus primeros balbuceos decía que sólo tendría hijos perritos, aunque yo sé que luego los añoró, tal como lo demostró con Jorge, mi tercer nieto, hijo de Beatriz y Luis, con los que convivió durante un tiempo en ocasión de una de sus rupturas cíclicas conmigo —así lo parece con mi tercera hija y su marido, que me castigan, como lo hacía Ada, criticada fuertemente a causa de ello, con no ver a los nietos. Ésta era la primera, y habían vivido el primer año de vida de Jorge en mi casa, y desaparecieron cuando les anuncié que Ada y Nacho se venían también aquí—. Entonces, Conca, como se llamaba ella de pequeña —y así se ha quedado para sus hermanos y para mí algunas veces, aunque odio los diminutivos y los sobrenombres—, era para Jorge «mamá Coca», como lo fue en otra época, y ya lo he contado, para Hugo y Nacho.

Desde el principio de su absurdo enganche —aún vivía Ada—, pedí ayuda a mis nietos mayores, que me la prestaron, y todavía ahora lo hacen, hasta cuando están más enfadados, sobre todo Hugo, que sé que lo hace por amor e impotencia, como cuando se enfadaba con su madre...

Hasta la noche, hora de salida del tren, me estuve convenciendo a mí misma de que no iba a pasar nada por que se quedara cuatro o cinco días sola. Hice conmigo misma un trabajo subliminal.

Di las gracias *de profundis* a mi hija Ada, como me había aconsejado el padre Oliver; ella se encargaría de transmitírselas a Dios..., y de paso pedirle ayuda para su hermana pequeña y ahijada.

Después de un incomodísimo y largo viaje hasta el Ferrol —RENFE se cubre de gloria con los trenes que hacen este trayecto, que aparte de parecer piezas de museo tardan trece horas—, llegué a la ciudad-cuartel, como siempre me había parecido Ferrol, porque todos los edificios tienen aspecto militar. Menos mal que me esperaba mi nieto Hugo, a quien encontré muy alto y moreno, con Pepe, el dueño de la casa. Agradecí de todo corazón la presencia del chico, porque sé el terror que tiene a los coches, después de haber sufrido varios accidentes en el de su padre —en el último voló varios metros por los aires, al automóvil le decretaron siniestro total y ellos salieron ilesos de puro milagro en opinión de la Guardia Civil— cuando vivían en la sierra y se recorrían los pueblos por carreteras llenas de curvas peligrosas, con demasiada alegría insensata, alcohol y drogas en el cuerpo.

Hacía frío y una espesa niebla apenas dejaba ver a tres metros de distancia. «¿Dónde están el sol y el calor de que hablabais todos los días? —pregunté—, porque tengo la sensación de que he llegado a Bretaña, a Irlanda o al norte de Galicia.» Mi pobre nieto recababa el consenso del casero, que asentía con la cabeza mientras conducía a una velocidad de vértigo cogiendo las numerosas curvas en dos ruedas. Mi nieto, que iba sentado en el asiento de atrás, estaba blanco y luego amarillento, a punto de echar las potas. Rogué a Pepe que parara y llegamos a tiempo de que no le dejara un recuerdo desagradable en su coche.

La niebla y la velocidad del intrépido conductor, que aseguraba saberse a ciegas el trayecto, impedían contemplar el hermoso paisaje de lo que parecía ser el fin del mundo. Cuando llegamos me encontré ante una casa absurda para el lugar, que empezaba a entreverse entre la bruma y que yo había imaginado por lo que me contaban mis nietos. Construida con materiales de lujo, mármoles pulidos, lacas, cristales esmerilados con dibujos tallados, herrajes caros y adornos que resultaban un atentado contra el buen gusto, como flores de plástico y cortinas de nailon con encajes hechos a troquel, amén de variadas figuras de porcelana estilo Lladró, desde la jovencita ataviada con miriñaque y sombrilla que paseaba ánades por un parque o prado —no se sabía muy bien—, hasta los gatitos, los perritos, el payaso y la bailarina con tutú.

A mediodía la niebla se levantó y en efecto pude ver la ría, con Ortigueira enfrente, casi a tiro de piedra. La casa, según me contó Susa, la habían construido para un hijo que se casó con una inglesa que le dejó por otro a los pocos meses, dándole un hijo de su dudosa paternidad. Mitigada la pena y el ridículo, el marido burlado se fue al extranjero y los padres, que habían pagado la casa y elegido el modelo y los materiales de entre los más caros, y que vivían al lado, decidieron alquilarla los veranos. A toro pasado, es decir, ya de regreso a Madrid, me enteré de que cuando llegaron mis nietos y la oronda Susa, había allí una pareja que ocupaba uno de los dormitorios, concretamente el destinado a mí, con cama de matrimonio (¿...?); resulta que la pareja estaba formada, pásmense, como lo hice yo, por la ex nuera de Pepe y su nuevo amante, que no era el mismo por el que había dejado plantado a su hijo.

Cotilleos aparte, al ver el paisaje desde la parte de atrás de la terraza que rodeaba la casa, ante la magnitud de la ría con la marea alta, me explicaba la cercanía a que aludían Gonzalo y los chicos entre los dos pueblos, que, separados por la ría, estaban cerca cuando bajaba la marea y lejos cuando subía. También era cierto que aunque por carretera no había más de diez kilómetros, como era de curvas tan peligrosas que había que tomarlas con mucho cuidado y a muy poca velocidad, el trayecto se hacía mucho más largo.

De los cuatro días que duró mi estancia en aquel pueblo, al que no pienso volver jamás, dos me los pasé aterida de frío porque me había llevado ropa liviana, de verano e intentando calmar un terrible ataque de artrosis que me dio a la par que un aburrimiento total, ya que el único punto de reunión de aquel pueblo era un restaurante-bar-comercio, con buenos pescados y mariscos, al que acudían, sobre todo los sábados y vísperas de fiestas, grupos de matrimonios a degustar los mariscos y pescados típicos de la zona, cuya principal bondad no radicaba en su elaboración sino más bien en la materia prima. Es una forma típica, y lo he observado en otros pueblos, de diversión entre los matrimonios jóvenes, para los que parece obligatorio este tipo de festejos gastronómicos como una demostración de su poderío económico y en cierto modo social.

Dos días antes de marcharnos, Pepe nos llevó a los cuatro a un pueblo cercano, Espasante, que posee playa y todo, donde había un vivero. En él adquirí unos centollos, bueyes de mar y alguna langosta a muy buen precio, que traje para regalar, porque a mí los mariscos no me parecen nada especial, aparte de que aumentan bastante el colesterol. Descubrí que un autobús que pasaba por las afueras del pueblo nos llevaba no sólo hasta Ortigueira, sino hasta Vivero, un pueblo mucho más importante, donde había un comercio variado y oficinas de casi todos los bancos del país. En Ladrido, por no haber, ni siquiera había farmacia, aunque en el restaurante nos dieron la dirección de un taxista con el que acordé la primera parte del regreso, es decir hasta Ferrol. Fue toda una odisea, pues Susa, que ocupó el asiento delantero, inclinaba el vehículo a la derecha y nos podía a nosotros tres y todo el equipaje, repartido entre el maletero y una baca. Como el hombre no quería poner en peligro su coche, no pasamos de cincuenta y tardamos en llegar más del doble de lo habitual; pero... ¡llegamos!, y con tiempo más que suficiente, pues por ser domingo el tren salía una hora más tarde. El lunes a media mañana ya estábamos en Madrid, y más parecíamos una troupe de circo que unos veraneantes.

Lo peor, no obstante, fue el panorama de la casa, que yo había dejado limpia y ordenada dentro del desorden de una obra sin acabar. El espectáculo era tan terrorífico. Sangre, jeringas, vasos y ropa variada de hombre y mujer, sucios; el suelo con restos de comida y un olor nauseabundo anunciaban, para los que desgraciadamente conocíamos el tema, que una legión de yonquis se había instalado en la casa... Rogué a Susa que se bajara con Hugo y Nacho a desayunar al bar de enfrente, y mientras llamé a Puri y Paco, los padres de Raquel y Quico, quienes gracias a Dios ya estaban de regreso del veraneo en su casa de Peñascales, Torrelodones, para pedirles el favor de que acogieran a mis nietos durante un par de días, hasta que la casa volviera a estar en orden, porque además había un recado, que me dio mi vecina Maruja, del hospital de La Princesa, dónde habían ingresado una vez más a Mónica. Eligieron el número de teléfono de Maruja al ver que en mi casa no contestaba nadie y después de haber dejado varios recados en el contestador.

Como no quería que los chicos se enteraran y tampoco sabía lo que me esperaba, pensé de inmediato en aquellos buenos amigos que, como siempre, acudieron en mi ayuda. Quizá, como dice mi buen amigo don Joaquín Ferrer, son señales de la presencia de Dios, las luces, tal vez, de las que hablaba mi hija Ada en sus últimos meses. Cierto es que en otras ocasiones había sido otro compañero, Juanfran, y los padres de éste, Maritina y Franco, quienes se habían presentado como ángeles de la guarda al invitar a mis nietos a pasar un día festivo, sin más horizonte que permanecer en casa, con problemas y sin blanca —parodiando a Orwell—, a almorzar fuera de Madrid, en lugares agradables y pintorescos. Juanfran era hijo único y un tanto trasto, mal estudiante y conflictivo, como a veces resultaban mis nietos.

Cada vez notaba más el peso de esta que llamo yo mi segunda maternidad a la casi senecta edad de la «abuelez». Tenía que acomodar mi cuerpo y mi mente a treinta y tantos años atrás, un ejercicio harto difícil al que tenía que añadir, además, la atención y la comprensión a mi hija pequeña, con la incomprensión total de mis otros hijos, a quienes ni siquiera me podía quejar, aunque en honor a la verdad habían tomado parte en alguna ocasión. Beatriz sólo lo hizo en una oportunidad, y consistió en echar a su hermana una de las primeras veces, y como yo, según ella, me eché atrás cuando al cabo de los días la admití de nuevo, prometió no entrometerse más en este asunto, y así lo hizo; en cambio, Gonzalo me ayudó en otras muchas ocasiones, la última, creo que lo he contado, a petición del pequeño de mis nietos.

Lo que sí resultaba cierto era que yo me iba conformando una especie de nueva familia compuesta por nuevos amigos, jóvenes unos y otros recuperados, o quizá sería más exacta si dijera reencontrados, pues ellos no me habían abandonado, sino que era yo la que había desaparecido. Tal es el caso de mi joven amiga María T., cuya amistad se remontaba veinte años atrás, cuando ella, casi una adolescente —más o menos de la edad de mi hija mayor—, trabajaba en el Congreso en el Grupo Socialista, partido al que pertenecía desde hacía años —había entrado en las Juventudes socialistas—. Nos hicimos amigas en cuanto nos conocimos. Era, además, estudiante de Económicas, carrera que nunca llegó a terminar porque se enganchó en la política, concretamente en su admiración y lealtad a Felipe González. Tuvimos una amistad muy estrecha en un tiempo —la legislatura constitucional, sobre todo, y las tres siguientes—, durante el cual periodistas, políticos y adláteres formábamos, más por ideología que por razones económicas, un grupo compacto durante muchas horas, más de las que permanecíamos con nuestras familias y en nuestras respectivas casas. Luego, y por razones de la misma vida, nos separamos y cada uno, como los mochuelos, volvimos a nuestros olivos, hasta que muchos nos quedamos sin plumas y sin árbol... Recuerdo especialmente a mi querida y desaparecida Beatrix Seral, la primera mujer masona que hubo en la España democrática, socialista de las auténticas, desde que la conocí y creo que desde siempre. Fue «otra niña más que se empeño en jugar "ya" con las conchitas y las atlántidas...», como me escribieran desde Bruselas Mayec Rancel Seral y Julio N. Rancel Villamandos, hijo y marido respectivamente de Beatrix, después de su fallecimiento y honras fúnebres en el mismo lugar donde se celebraron las de mi hija Ada, algo más de un año antes: el crematorio del cementerio de la Almudena de Madrid. Tampoco puedo olvidarme de la realidad de María en el momento actual, y también ya entonces, que se casó con un, en apariencia buen marido, compañero y esas cosas, que aparte de dos hijos magníficos, Pablo y Laura, la dejó en la más absoluta de las miserias morales y materiales. Eran dos casos desgraciados, entre otros muchos, de amigos a los que perdí la pista, inmersa en mi poco agradable realidad, pero que afortunadamente reencontré, aunque fuera por pérdidas tan irreparables y a pesar de que nos habíamos visto en alguna ocasión, aunque sin la libertad de antes. Recuperé con ella una hermosa amistad que ahora hemos reforzado gracias a las desgracias que han unido de nuevo, y con mayor solidez, nuestras vidas.

En el caso de María fue gracias a su divorcio, al regreso al hogar paterno, vecino del mío, al hecho de que se quedara sin techo propio, a sus hijos y a su afinidad con mis nietos-hijos, nacidos de la triste realidad de la muerte de Ada, y a que ellos, a pesar de la diferencia de edad, se hicieron íntimos desde que se conocieron, que fue precisamente durante las postrimerías del verano que he relatado. Esta amistad se ha ido haciendo cada vez más sólida debido a las aficiones comunes y, en cierto modo, a sus propias «afinidades electivas», que responden a la teoría de Goethe sobre la amistad.

Y así, sin darme cuenta, pasó parte de septiembre y empezó un nuevo curso.

V

La primera reunión del colegio se celebra en la capilla — Nos muestran las magníficas instalaciones del primero y el segundo ciclos de la ESO — Me retraso en el informe que todos los años he de presentar a la juez de menores — El Ministerio Fiscal me llama la atención — Esto funciona bien en España — Viajo mucho presentando la Agenda de los amigos muertos *— María y yo cenamos con Escuredo y Ana, su mujer — Me invitan a ser jurado de un premio de cuentos interactivos — Invitan a mis nietos al campamento que organiza la ONG Deportistas contra la Droga — Nuevos amores, nuevas amistades — Los chicos me buscan un novio que se parezca a Sean Connery.*

Llegaba tarde a la primera reunión de padres y profesores del curso que aún no había comenzado, y cuando subía por las empinadas escaleras que llegan al colegio, no podía respirar y pensé, como siempre que me ocurría: «Tengo que dejar de fumar», pero encendí un pitillo. No vi a nadie en los pasillos, miré dentro de las aulas donde solían hacerse las reuniones, ni en la sala de música. ¡Nadie! Me puse las gafas para ver la fecha en mi reloj de pulsera y contrasté con el papel que me había llegado por correo. No me había equivocado; ¿dónde, pues, se habían metido? Estaba a punto de irme cuando oí un murmullo que salía de una puerta a la izquierda, al final del pasillo que circunvala la planta del enorme edificio de los Jesuitas de Serrano —iglesia, residencia, capillas y atrios—, que se hizo famoso en su día porque allí fue a parar en su «vuelo» el almirante Carrero Blanco, en un perfecto atentado de ETA, que hizo elevarse su coche Dodge —eran los automóviles norteamericanos que usaban los miembros del Gobierno del general Franco, además de algunos millonarios y diplomáticos—, con dos cadáveres, el suyo y el del conductor, y un herido grave, el escolta. El almirante oía misa a diario en la iglesia de los Jesuitas de Serrano a primera hora de la mañana, desde hacía años. Como tuve que cubrir la noticia —trabajaba por entonces en el diario vespertino *Pueblo*— vi el coche, que se elevó por impulso de los explosivos, empotrado en lo que en la actualidad es el patio de recreo donde juegan los alumnos del Mater Amabilis, justo en la parte donde yo estaba en aquel momento. Lo recordé todo como en un *flashback*.

La puerta doble daba acceso a la capilla —yo desconocía su existencia, pues era para uso privado de alumnos y profesores—, y allí estaban todos; el murmullo era la voz del padre Oliver. Entré y me senté en el último banco. Aunque tarde, me enteré del mensaje principal: la religiosidad, el acercamiento a Dios, la fe y el cumplimiento de la liturgia eran tan importantes como las otras materias lectivas. Luego, y cambiando el tono de voz, nos anunció la buena nueva de que el Ministerio de Educación había ampliado la subvención para las instalaciones necesarias del segundo ciclo de la ESO, con lo cual nos aseguraba la permanencia de nuestros hijos-nietos hasta cumplidos los dieciséis años. Hablaron luego don Joaquín, el director técnico, y Amparo, la jefa de estudios. Pasamos después a las nuevas instalaciones —aulas amplias y laboratorios—, que la ley exigía.

Al final nos quedamos unos momentos haciendo tertulia, como siempre, y me encontré con que yo era el centro de atención por mi *Agenda* y su éxito. Cada uno daba su opinión, que en general era óptima. Todos coincidían en que lo habían empezado y leído de un tirón. Amparo me dijo que lo había leído su hija mayor, ya universitaria, y que muy impresionada, había llegado a la conclusión de que era un alegato contra la droga... Se lo agradecí muy sinceramente y me sentí orgullosa de mis nietos, que lo estaban de mí. ¡Cómo habían cambiado las cosas durante ese tiempo, Dios mío!... Otra vez volvía a encontrarme bien en mi piel, cumpliendo con lo que le había prometido a mi hija: cuidar y velar por los valiosos bienes que me legó en testamento: sus hijos. Por ello cuando Amparo empezó a preguntarme: «¿Tus nietos no habrán leído...?», no la dejé terminar. «No, Amparo —le dije—, no lo han leído, y no lo harán hasta que entiendan mi amor y mi dolor al hacer tan tremenda confesión. No les he prohibido que lo hagan. Son ellos los que no sienten interés por su lectura, aunque se saben la película mejor que yo, incluso.»

He de decir que Hugo, con quien es difícil entablar diálogo —aunque yo lo logro de vez en cuando—, me ha mostrado su agradecimiento por devolverle a su madre como él la quiere recordar, joven, guapísima, inteligente, conquistadora, no como estaba al final, y de esa época no quiere ni hablar.

Nacho ya empezaba el primer curso de la ESO, y Hugo pasaba a tercero... ¡Qué nostalgia al verlos tan mayores!, y, como siempre en esas ocasiones, tuve que disimular las lágrimas que acudían a mis ojos, pensando en lo orgullosa que se hubiera sentido Ada de sus hijos, tan mayores y tan buenos e ingenuos para su edad.

Otra novedad del nuevo curso fue la incorporación de dos jóvenes profesores, como exigía la ESO, para Química, Física, Biología y Matemáticas (segundo ciclo). Habían nombrado a Nacho, un joven biólogo de aspecto juvenil, ojos claros y dialogantes, quien rápidamente se hizo con Hugo, y supongo que con el resto de los alumnos de tercero. Nos caímos muy bien, tal vez porque con su mirada clara y directa, de esas que nunca engañan, me recordaba a mi hijo Gonzalo. Una de las veces que fui a hablar con alguien aproveché que Hugo estaba haciendo un examen que había perdido a causa de una gripe, junto con su gran amigo Juanfran, para entrar a verlos; allí los dejamos con su prueba («da igual que copien; lo sabré a la primera ojeada y la nota será la misma») y bajé con Nacho, el nuevo y joven profesor, a tomar un café y a charlar un poco de nosotros mismos. Me gustó de inmediato y puse en él toda mi confianza para que Hugo recuperara o rellenase cuantas lagunas tenía en esas materias, que eran muchas. La otra nueva adquisición, también muy joven, se llamaba Diego, y era licenciado en Educación Física.

(Mis nietos, que van leyendo estas páginas a medida que las escribo, me dicen: «¿Y Alicia qué?» «Pero Alicia no es nueva», respondo.) Alicia es otra joven licenciada, que cubre el área de Sociales, Plástica y Tecnología. Habla poco en las reuniones, aunque siempre está dispuesta a dialogar con los padres o con una pesada abuela como yo, a quien le cuesta trabajo entender la nueva forma de enseñar, hasta el punto de que, a pesar de mis licenciaturas universitarias, confieso que tendría que empezar a estudiar de nuevo el bachillerato, porque hay cosas de las que ni me acuerdo o que ya ni siquiera existen como materia de estudio, como la filosofía y la lógica, englobadas en las matemáticas. Es un ejemplo, y supongo que muchos de los que me leáis me entenderéis, porque debéis de sentiros tan ignorantes en algunas materias como yo.

Una novedad que me gustó fue que Nacho heredaba libros de su hermano, aunque se quejaba porque los tenía hechos una «guarrada», llenos de dibujos «¡muy guarros, abuela, muy guarros; mi hermano es un salido y un gay!» (les tengo prohibido que empleen esta palabra como insulto, pero lo siguen haciendo, lo mismo que se enzarzan como dos gallos de pelea por cualquier motivo, y como ya no recuerdo que mis hijos hacían lo mismo, me da miedo y, además, es que me pueden y me toman el pelo). Los libros de Hugo y alguno para su hermano, más el resto de material escolar, ascendió ese año a unas setenta mil pesetas, y de la ropa, entre uniformes (ya usan tallas de adultos) y atuendos deportivos, aproximadamente ciento cincuenta mil pesetas. De modo que seguía aceptando que las piadosas tías abuelas pagaran el comedor del colegio, unas veinticinco mil pesetas mensuales, como tributo por haber insistido en ser sus madrinas de bautizo, acto al que no fui invitada.

Los primeros meses del año los pasé haciendo promoción de la *Agenda*, unas veces en Madrid, pero la mayoría fuera. Fue un trabajo tan agotador como gratificante. Antes lo había hablado con los niños, y les pareció bien, aunque a medida que pasaban los meses se quejaban de mis ausencias.

No sé si he dicho que la tutela de mis nietos me obligaba a rendir cuentas cada año a la jueza de menores, y ese año, como el anterior, había recibido la carta del juzgado, señalándome una fecha. Tenía que reunir muchos documentos, y fui haciéndolo poco a poco, pero con los intervalos impuestos por los viajes, de modo que se me echó el tiempo encima y, además, no había redactado el informe que debe acompañar a los documentos; le pedí ayuda a una amiga y a mi hijo Gonzalo, pero, o se olvidaron o no quisieron o no supieron hacerlo. El caso es que recibí una citación del Ministerio Fiscal. Como ya había llevado el informe al juzgado, llamé por teléfono para tratar de no ir, pues ya había cumplido con mi obligación. No importaba, tenía que presentarme de todas maneras y ¡sin falta!, según me dijo la voz femenina que me contestó al teléfono. Después de una hora de espera, pasé a la sala de juicios, y ¡menuda bronca! Se consideraba una negligencia grave el retraso —las causas no importaban—. Yo quería decir algo y no me dejaban hablar; sólo podía contestar sí o no. Después de amonestarme, el fiscal me advirtió que si volvía a incurrir en una falta como la que había cometido, la tutela de mis nietos corría peligro.

Salí tan asustada que me temblaban las piernas. Tuve que entrar en el bar de al lado y tomarme un café y una copa, porque, como suele decirse, no me llegaba la camisa al cuerpo. Nunca pensé que la cosa fuera tan grave, pero en el fondo me di cuenta, con satisfacción, de que algo funcionaba bien en este país, y que los menores, en realidad, estaban bien protegidos por la ley. Por eso me hace mucha gracia cuando oigo a alguien que usufructúa la herencia de un pequeño y hace proyectos de ventas y disfrute del dinero que saque de ella, en el caso de que la herencia consista en bienes inmuebles...

Hasta un tiempo después no se lo conté a mis nietos, que no lo podían creer. Por si acaso, sin embargo, están pendientes de ver si ha llegado la carta del juzgado n.º 1 de María de Molina, que es donde está la sede de los juzgados de Familia.

«Abubu —me decía Nacho—, no te creas que vas a deshacerte tan fácilmente de nosotros. Yo no sé lo que hará Hugo, pero yo pienso vivir contigo siempre.» Nachete sigue siendo mimoso, «mi bolita Treus», como le decía a su madre, y con ello quería expresar que se hacía pequeñito, pequeñito, casi invisible bajo tres o cuatro cojines, como una bolita exactamente... Bueno, ahora que ya está hecho un grandullón, de más de un metro setenta y cinco de estatura, sigue haciendo lo mismo. No hace falta decir que una de sus películas favoritas es *Peter Pan*.

Aquel final de verano, y antes de que empezara el colegio, es decir, en los primeros días de septiembre, fuimos algunas tardes juntos al cine, y una de las películas en cartel era *La roca*, con Sean Connery como protagonista. Fuimos a ver ésa y otras cuantas toleradas, pero *La roca* les gustó tanto que nos la vimos tres o cuatro veces, aparte de que también compramos el vídeo. A mí no me importaba, y así se lo decía, porque Sean Connery estaba inmenso de bueno. Me gusta más ahora que cuando era un jovencito, o en la época de James Bond. Total, que me oían suspirar y comentar lo bien que estaba «sobre todo al principio de la película, cuando sale con una melena gris que le llega a media espalda». Ellos andaban, desde hacía tiempo, queriendo que me buscara un novio, supongo que para tener abuelo, y se ponían muy pesados pensando en candidatos, así que les dije que estaba de acuerdo en tener novio si era como Connery. Empezó el curso y la broma se olvidó, pero un sábado que Nachete me acompañaba a hacer algunas compras, íbamos por la calle y me di cuenta, porque iba hablando con él y no me respondía, que se había quedado rezagado unos pasos; estaba hablando con un señor de edad, con buen aspecto, de pelo cano cuidado y larguito; me hizo una seña de que me acercara y me presentó al señor: «Abuela, ¿te parece bien fulano para ser tu novio?» Creo que enrojecí hasta la raíz del pelo, y menos mal que el hombre era muy simpático y quitó hierro al asunto... «No sé qué opinará mi mujer, pero si quieres se lo preguntamos», le dijo a mi nieto, y, por supuesto, nos echamos a reír... ¡Estos chicos! Como comprenderéis no supe ni regañarle, porque lo hizo con tanta naturalidad... Lo que sí le rogué fue que no volviera a hacerlo porque era un corte muy grande, para el señor y para mí.

La relación con mi vieja amiga María se hizo tan intensa casi como antes, gracias a sus hijos y a mis nietos. Los fines de semana que no se iban con su padre quedábamos para cenar y dar un paseo; otras veces organizábamos la cena en la casa de una o de otra, que como he dicho estaban muy cerca. Conocí a Sabino, el padre de María, que era un hombre encantador, muy culto, poeta, escritor y editor, además de melómano. Hicimos muy buenas migas y enseguida empezamos a encontrar amigos comunes del mundo de las letras, de la pintura —no sólo era aficionado a ella, sino también coleccionista— y del periodismo, pues él había sido editor siguiendo la tradición de su padre, allá en Pontevedra, donde había nacido y vivido su juventud. La madre de María, a quien también conocí, aunque no en profundidad, era una señora de mucha clase, muy guapa y con mucho estilo. Había fallecido hacía un año más o menos y al viudo, como suele sucederles a los que han estado casados muchos años —lo sé por mi padre—, les cuesta mucho trabajo y mucho tiempo —si es que lo consiguen—, resignarse a vivir sin la compañera de toda la vida. Probablemente a Sabino, como le sucedió a mi padre, la ruptura matrimonial de María, así como el que se fuera con sus hijos a vivir a su casa, le sirvió para seguir sintiéndose útil y renovar el deseo de vivir y seguir haciendo cosas.

Poco a poco iba recuperando a mis antiguos amigos y me sentía rejuvenecida. También había tenido mucho que ver la publicación y el éxito de la *Agenda*, pues había algunos que me miraban con cara de pensar «creía que te habías muerto». Suele pasar en profesiones que, como el periodismo, en cuanto se deja de estar en el escaparate se olvidan de uno.

El caso es que María me dijo que habíamos quedado a cenar con Rafael Escuredo —que fue su jefe en la primera legislatura, siendo él diputado del PSOE y secretario primero de la mesa; luego sería elegido primer presidente de la comunidad autónoma de Andalucía—, y Ana María Ruiz Tagle, su mujer, también abogada, senadora y luego diputada. En la actualidad ambos ejercen el derecho privado en su despacho, y Rafael, muy simpático y magnífico relaciones públicas, amigo de casi todos los periodistas que cubríamos la información parlamentaria y con los que ha seguido en buenas relaciones, ha sido siempre noticia, especialmente cuando llevó el caso del secuestro y muerte de Anabel Segura, apareciendo como portavoz de la familia, de la que es amigo. Fue éste un suceso que conmovió a la opinión pública, no sólo porque durante mucho tiempo se pensó la mantenían secuestrada, sino por las declaraciones de los secuestradores cuando fueron detenidos y confesaron que la habían matado a las pocas horas del secuestro.

Rafa y Ana María forman una pareja deliciosa, en la que está patente la armonía del compañerismo y la comprensión inteligente de la mujer enamorada que ha sabido hacer la vista gorda ante los devaneos de un marido guapo, simpático, político y famoso, además de sevillano ingenioso —y no todos lo son, porque el que sale malaje no hay quien le aguante. Es un tópico asociar «andaluz» a «gracia».

La cena fue magnífica, pues Rafa, como le hemos llamado siempre, es un *gourmet*. Nos reímos, nos contamos nuestras vidas, tras tantos años de ausencia, y aparte de elogiar mi libro me dijo, y no preguntando, sino dándolo por hecho: «Vas a ser jurado de un premio de cuentos interactivos que convoca la ONG Deportistas contra la Droga; dame tu dirección y mañana mismo te mando los originales. Son cuentos de niños hasta catorce años, alumnos de varias escuelas públicas. Te llegará una selección que ya hemos hecho en la asociación.» Efectivamente, al día siguiente me llegaba con un mensajero el sobre que contenía los cuentos, así como una invitación para comer, unos días después, con algunos de los miembros del jurado y de la junta directiva, de la que Escuredo es vicepresidente. La comida se alargó hasta bien entrada la tarde, y en ella conocí a Nicolás Justicia, el secretario general, y a Ana, su mujer, una pareja encantadora que era el alma de la asociación y, como vulgarmente se dice, «sacaban las castañas del fuego». De la comida salieron los premiados, y pocos días después se entregaban los premios en un emotivo acto en los salones de Caja Madrid, que había colaborado activamente en el I Concurso de Cuentos Interactivos. Me obsequiaron con dos plazas para que mis nietos fueran ese verano al campamento que organizaban todos los años en el Valle del Tiétar, un lugar maravilloso —según mis nietos—, cerca de Cáceres, en el frondoso e inigualable valle.

Los chicos no se lo podían creer, porque ya estaban pensando que iban a quedarse en Madrid, ya que por segundo año no iba a haber albergue en Las Navas y no les gustaba la idea de volver a Almazán. A mí, tampoco.

Había sendos turnos de quince días, me dieron a elegir y me ofrecieron también la posibilidad de que fuesen a ambos turnos, que no eran seguidos, sino que debían regresar a Madrid y al día siguiente salir otra vez para allá.

Siguiendo los consejos de Nicolás y de Ana, les di cinco mil pesetas a cada uno, ya que, según ellos, allí no les hacía falta dinero, pero luego, según mis nietos no era así. Sólo me llamaron una vez por teléfono porque, también según ellos, la cabina estaba estropeada y se les tragó la mitad del dinero. Era mucho, ¿no?... Y tampoco había día de visita de los padres, al contrario que en los anteriores. Nos llevó mi amiga Carmen, y, como siempre, a la hora de subir al autocar —iban tres— se me hizo un nudo en la garganta y los ojos se me llenaron de lágrimas. No podía evitar pensar en mi hija Ada, en los padres de mis nietos, sobre todo viendo a tantos despidiendo a sus hijos, aunque también había algún/a abuelo/a, pero eso no me consolaba. ¡Los echaba tanto de menos a los dos! Ana, la mujer de Nicolás, se dio cuenta y vino a buscarme; fui a comer con ellos y con su pequeño de meses, que era una monada, y se disipó mi tristeza por el momento. Luego, la verdad, no nos hemos visto, pero es que hacemos vidas muy distintas y ellos no viven en Madrid ciudad sino en las afueras, hacia la sierra de Guadarrama, cerca de la asociación. De todas formas, quiero hacerles llegar mi cariño y agradecimiento.

Los días se me hicieron más cortos que en otras ocasiones, y eso gracias a María, que me llamaba a menudo y con la que salía a tomar un café o sencillamente a dar un paseo. Ella también estaba sola en Madrid, pues sus hijos se habían ido con su ex esposo a Peñíscola y su padre a Pontevedra. Fue ella quien me llevó a recoger a los chicos el día que regresaron. (¡Ah, las amigas, mis buenas amigas, ¿qué haría sin ellas? Y que nadie me tache de feminista, que nunca lo he sido, es que simplemente las mujeres tenemos un concepto de la amistad que los hombres no tienen, no han tenido, ni nunca tendrán, porque la amistad es un ejercicio de continua generosidad, y pocos de ellos saben lo que es eso. No se trata de generosidad en el sentido económico, sino personal, de dar la mitad siempre, e incluso todo, y muchas veces sacrificar una diversión por acompañar al amigo afligido. A esa generosidad me refiero.)

Los chicos regresaron del campamento, como siempre, hechos unos guarros y con la ropa para tirarla directamente a la basura, pero con muchas cosas que contar. El campamento de ese año había sido especial; ellos iban haciéndose mayores y a pesar de que iban niños/as de todas las edades, los agrupaban según los años que tenían, por lo que por primera vez no habían estado juntos. El campamento, un terreno cercado con algunos edificios y grandes tiendas de campaña ya montadas, era mixto y los chicos gozaban de amplia libertad, excepto en las horas de actividades, entre las cuales había una clase de inglés que daba una nativa monísima a quien vi el día de la partida en su vehículo, con un acompañante joven y guapo que resultó ser su compañero. Dentro del recinto había una discoteca *light*, y el día anterior al regreso hicieron una fiesta que duró hasta el alba y cada uno pudo sacar su saco de dormir y colocarlo donde y junto a quien quisiera... Fue toda una novedad. Hugo, como siempre, vino muy enamorado, y Nacho con muchos/as nuevos/as amigos/as de diferentes puntos de la geografía española. Al día siguiente de su llegada me pidió sobres y sellos y se dedicó a escribir a las nuevas amistades. Hugo, en cambio, quedó con un grupo, entre cuyos integrantes se encontraba su amor, que vino a casa a recogerlo. Por su aspecto no me gustaron, y la niña en cuestión me pareció una macarrita, vestida de mujer fatal a lo moderno, con horribles botas de tacón y alza de suela de tocino (debían de cocérsele los pies, pensé), las orejas llenas de pendientes, las manos pequeñas y regordetas, con muchos anillos... ¡En fin!, no dije nada... A ver cuánto le dura a mi nieto el amor de este año, me dije. Salieron en grupo y se fueron a La Vaguada. Nacho se fue por otro lado y les rogué a ambos que no vinieran tarde o que se llevaran las llaves, porque había quedado para cenar con unas amigas a las que no veía hacía mucho. Nacho sí vino pronto, porque según me confesó se había aburrido como un hongo, pero Hugo llegó, corriendo y con cara de susto, como siempre que llega tarde, cerca de las doce... Había ido a acompañar a su amor, que vivía... ¡nada menos que en Vallecas! Debió de parecerle un barrio tan raro, que fue motivo suficiente para que se le pasara el amor ese mismo día. La pandilla que habían formado en el campamento duró muy poco, porque una vez en la ciudad no tenían nada que ver los unos con los otros. Ya a Hugo y Nacho les chocó que un chico de su edad, con el pelo ostentosamente teñido de rubio y con pendiente, tuviera un teléfono móvil para su uso particular y nunca menos de diez mil pesetas para sus gastos.

VI

Llega la feliz, feliz Navidad — Aparece la tía Pilar — Es hora de hablar de la herencia del abuelo Ignacio y... ¡hasta de vender! — Hugo, ¿marqués? — Las primeras pellas de Hugo con su amigo Carlos — Hablemos de sexo y prevención. Es necesario, aunque os dé vergüenza.

No quiero ofender a nadie, pero a mí la Navidad me pone de mal humor. Empieza un mes antes (sobre todo para los que vivimos cerca de unos grandes almacenes como El Corte Inglés, que marcan hasta las estaciones. Recuerdo, por ejemplo, que el 23-F del 81, cuando el «tejerazo», al salir del metro, pues el coche había tenido que dejarlo a la puerta del Congreso, ya que, como siempre por aquellos días y años cubría mi información en esa casa, aparte de encontrarme a mi amiga Cristina, un enorme letrero anunciaba: YA ES PRIMAVERA... EN EL CORTE INGLÉS, y caían copos de nieve como puños y hacía un frío de tres pares de narices. Lo mismo pasa con la Navidad, que un mes antes YA ES NAVIDAD, y las calles y la plaza de Dalí (y nombro este lugar porque está a la espalda de mi casa, pero supongo que lo mismo les pasará a cuantos vivan cerca de estos establecimientos en cualquier ciudad española), se adornan para estas fechas con un alarde de luces y artilugios que también cuestan a los ayuntamientos, yo creo que tanto o más que dar de comer a un centenar de indigentes durante todo un año, de tal modo que cuando de verdad llegan las fiestas navideñas, uno está de ellas hasta el gorro. Y no digo nada si en la casa hay niños consumistas, como son la inmensa mayoría de los que viven en las ciudades, y además teleadictos; hay que empezar a comprar regalos y a preparar el árbol y el belén cuando lo dice el «gran jefe del consumo».

Esto, si se quiere, es lo anecdótico, lo superficial de las fiestas; lo profundo son las ausencias de los seres queridos, que por esas fechas se hacen notar más. A mí personalmente desde que murió mi madre, y cuando ya nos casamos todos los hermanos, me pareció que eran fiestas para niños con familias completas y bajo el mismo techo; fiestas alegres, me refiero.

A estas alturas de mi vida, y con todo lo pasado, las dichosas fiestas eran como la manzana de la discordia. Ninguno de los días señalados íbamos a estar todos juntos. No sé como me las arreglaba para que mis hijos y sus cónyuges nunca coincidieran y este año, además, estaba Mónica, y su hermana Beatriz, mi hija tercera, nos invitó a los niños y a mí el día de Nochebuena, como el año anterior, pero... «Sin Mónica, madre, por favor. Tu me entiendes, ¿verdad?» No, no lo entendía, pues siempre habían sido uña y carne, sólo se llevaban veinte meses y no podían vivir la una sin la otra. La culpable era la maldita mil veces droga, y yo lo sabía. Es triste pero cierto que a los drogadictos sólo los aguantamos las madres. Y así es como pasamos la Nochebuena, con prohibición de llorar o estar tristes, con amigos de mi hija y su marido y sí, con mis otros nietos, Jorge y Lidia, la pequeña Lidia a quien había visto media docena de veces en su corta vida, y luego los inconvenientes de la noche para los que no tenemos coche, y es que los taxistas también celebran la Navidad, como es natural, y no hay quien encuentre uno ni por teléfono ni en la calle. Hacía mucho frío, además, y Hugo había pasado el día anterior e incluso aquella misma mañana con fiebre y malestar de gripe o catarro (llegué a rogar que no le bajara la fiebre para excusarnos de ir a casa de mi hija). Nacho, como siempre, decidió quedarse con su primo, al que adora y con el que se lo pasa mejor que con los mayores —por aquello de que no quiere crecer—; de modo que el mayor y yo nos dispusimos a venirnos andando, y aunque las casas no se encuentran demasiado alejadas la una de la otra, sí lo están lo suficiente como para helarnos por el camino; cada minuto que pasaba me iba sintiendo más incómoda, pensando, además, en mi hija pequeña, que se había quedado sola en casa, durmiendo (supongo que se había atiborrado de pastillas y en esta ocasión no se lo critico).

Sé por las muchas madres y abuelas que me llaman y escriben pidiéndome consejo sobre este y otros temas, que a todas nos pasa lo mismo, pero «mal de muchos no es remedio de pocos», ¿verdad que no? Al fin logramos conectar con los taxis telefónicos y nos vinimos para casa. Hicimos el camino en silencio. Le cogí una mano a Hugo y note que estaba ardiendo. Se encontraba mal y al día siguiente guardó cama. Aproveché y le comuniqué a mi hijo que nos íbamos a comer fuera el día de Navidad, lo que le descolocó, pues desde que se casó les tocaba ese día almorzar en mi casa. Lo sentí y aproveché para volver a acostarme otro rato y no preocuparme de comidas. Estaba agotada y no me encontraba bien. ¿Me estaría volviendo algo egoísta, tal como me suplicaban mis amigos que hiciera?

Por esos días apareció Pilar, la tía Pitu, como la llamaban sus sobrinos y mi hija. La acompañaban sus dos hijos pequeños, Álvaro y Andrea, habidos de su matrimonio con Maxi, un buen hombre que se metió, como tantos, en el mundo del caballo, que delinquió y conoció a Pilar en un centro de desintoxicación, en el que ella prestaba sus servicios como auxiliar. Se rehabilitó, liberado y apoyado por el centro, y cuando ya ni pensaba en su pasado yonqui, apareció la primera de las enfermedades oportunistas del VIH. De los tres hombres que han ocupado de manera fija la vida de Pilar, puede que Maxi haya sido el mejor, en calidad humana, por lo menos.

Yo decía, en clave de humor, que era el «espíritu de Ada» el que obraba estos milagros —remedando al «espíritu de Ermua»—, porque Pilar había estado perdida o al menos ausente durante los últimos cinco años, que fueron los que le duraron la unión con el último de sus hombres, cocainómano y borracho, cordobés por más señas —sin connotaciones raciales, xenófobas ni antirregionalistas—, pero es que el principal defecto de este hombre era su burrez, su analfabetismo y sus peligrosos vicios, que le hacían perder la razón hasta el punto de mandar a Pilar al quirófano, donde tuvieron que extirparle el bazo pues al parecer lo tenía reventado. De Guadarrama la sacó una asistente social y la Guardia Civil para traerla a Madrid a un centro de acogida de mujeres maltratadas... Yo tenía noticias suyas de vez en cuando y, haciendo grandes esfuerzos de perdón y olvido, la atendía. A mediados del verano apareció una mañana por esta casa con sus hijos pequeños, y como sus primos, mis nietos, se pusieron muy contentos, se quedaron a comer, a merendar y tuve que darles algo de dinero para que se marcharan a su casa, no de acogida, sino compartida, en algún lugar que no podía decir, porque así lo exigían las normas. Era a comienzos de agosto, y en realidad se llegó hasta mi casa porque venía de ver al administrador de una de las propiedades que dejara su padre en testamento, nombrando usufructuarios a ella y a su hermano Nacho, el padre de mis nietos, y nudos propietarios a los cuatro que cuando él vivía estaban en el mundo, porque Andrea nació después y no figuraba en el testamento.

Esta vez Pilar buscaba algo más: que yo intercediera para que pudiera ver a su hijo mayor, Alberto, que ahora vivía con su padre, porque el chico, que había estado una temporada viviendo con su madre y llegó a tomar cariño al segundo marido de ésta —repito que era muy buena persona—, decidió no seguir en aquella casa cuando se enteró de la enfermedad que padecía el pobre hombre, a quien su madre había echado a la calle sin muchos miramientos. Se refugió entonces en la casa del padre, que ahora vivía con la abuela, quien le había criado en su más tierna infancia, cuando su madre le abandonó. Lo que le dolía a Pilar era que su primer ex marido, en el que el hijo había depositado toda su confianza, hasta hacerle un poder de los que los notarios llaman «de ruina», había entablado una demanda de reclamación de cantidades por alimentos y la había ganado, con lo que le retiraban las rentas, que ahora cobrábamos a medias, de un piso de la herencia paterna. Eso le llegaba al alma, máxime cuando el ingreso se lo hacían a nombre del ex y no al de su hijo. La verdad es que resultaba incomprensible en un muchacho que había cumplido los veintiún años.

Pilar, como ya se habrán dado cuenta, había venido a mi casa, disfrazada de oveja inofensiva, para que yo intercediera ante el hijo, con el que tenía contacto, y más ante el padre de éste, con quien sólo se comunicaba telefónicamente y por razones económicas, y le trajera hasta mi casa para que tuvieran una charla madre-hijo, sin interferencias del padre. Así lo hice, porque en cierto modo, y como mujer, madre y abuela, entendía las razones de Pilar y la rabia que sentía cuando lo que le quitaban era para ser ingresado en la cuenta de su ex, quien siempre había dado muestras de ser excesivamente pesetero.

Tuve huéspedes por tres días y mi casa llegó a parecer un campamento de gitanos trashumantes, con sacos y mantas de dormir por toda la casa y todo el desorden de que es ella capaz, que es mucho. Encima tenía que oírla decir lo mucho que quería a mi hija y cuánto la echaba de menos. Cierto es que desde el primer momento hablé muy claro y le dije que la tenía en cuarentena y no creía nada de cuanto me decía, pues si hubiera querido a mi hija, al menos me habría llamado o puesto un telegrama cuando falleció...

Pilar es muy lista, o cree serlo, y pensó que me tenía de su lado, lo que en esos momentos significaba vender la herencia del padre y, al mismo tiempo, hacerme el favor de igualar su parte con la de mis nietos, ya que ella —según sus cálculos y su personal saber— por ser usufructuaria única al morir su hermano sin testar, era la que mandaba. Por lo pronto, ya había faltado al acuerdo verbal que estableciera su hermano, y a mi hija y a sus hijos los dejó sin nada durante unos meses —el comienzo de su idilio con el cordobés—, y tuvimos que hacer muchas visitas, infructuosas la mayoría de ellas, a Guadarrama, para llegar al acuerdo de que les daría la mitad de la renta. A mi hija, que la conocía muy bien y sabía lo trapacera que podía llegar a ser, «sobre todo cuando se le cruza un pavo en el camino», se la llevaban los demonios.

En éstas estábamos, y yo a punto de volverme loca, abominando de las «felices» navidades, «tiempo de paz y de alegría», como cantaban a voz en cuello los altavoces de la plaza de Dalí y la televisión, que ya ni enciendo, y el mismo ambiente de hacía dos meses... Todo el barrio «olía a puchero enfermo» —como diría mi madre— y yo deseaba dormir y despertarme el lunes 11 de enero y que los chicos se fueran al colegio y todo volviera a la normalidad.

Nadie se daba cuenta de que yo tenía que trabajar, e irrumpían en mi cuarto a cualquier hora, tanto niños como adultos, y, por si fuera poco, estaba Mónica, como piedra de toque para que Pilar pudiera ejercer su estado de bondad-santidad, que yo tan bien conocía, pues no en balde son más de veinte años los que la sufro por ser la hermana de mi yerno.

Era cierto que había alquilado la casa de Guadarrama, con la que soñaban mis nietos, pues en ella habían pasado los últimos veranos felices de sus vidas mientras vivieron sus padres.

Puede decirse que era la referencia más concreta que tenían de su infancia feliz-infeliz, pero que, a la larga, era más lo primero que lo segundo. Tenían sus recuerdos, sus bicis, sus amigos, las primeras medallas ganadas en la piscina de la urbanización; las fiestas con sus carreras de sacos, las gincanas, pero sobre todo recordaban a dos parejas jóvenes y aparentemente felices y bien, viviendo todos juntos, como la gran familia de la que hablaba el abuelo. Para ellos era su pasado feliz, y no me extraña que quisieran volver; sin embargo, nunca pudieron hacerlo por culpa de su querida tía Pitu y sus veleidades (¿...?) amorosas.

El resultado fue que llegaba de arrepentida, de buena, en busca de unos sobrinos a quienes había abandonado, a pesar de sus protestas de amor, por uno más carnal y masoquista al que, aun cuando había estado a punto de matarla, todavía añoraba, según me lo había confesado un día por teléfono, tras una de las muchas denuncias que le puso y que luego retiraba. Que la carne es débil lo sé, y lo he sufrido en mí misma, pero hasta un límite, y éste lo fijó él mismo cuando fue acusado de abusos sexuales a menores, incluida la hija de Pilar, y el hecho de que le hubieran retirado el régimen de visitas a su propia hija, de edad parecida a la de Andrea... Con perdón, yo lo califico de «chulo-putas» que siempre se aprovecha a la más mínima, y con Pilar había pasado a la máxima; es decir, a convertirse en el dueño absoluto de la casa, ¡que también era de mis nietos!, y de los dineros que ella cobraba de sus pensiones y sus rentas...

Álvaro y Andrea —diez y siete años respectivamente—, eran unos niños guapos de ojos tristes. Acudían a un psicólogo infantil. En lo que al mayor se refería, no había superado el trauma de la muerte de su padre y los terribles sucesos a los que le hicieron asistir desde su nacimiento. Andrea, en cambio, más frívola, se había convertido en una mujercita en potencia, algo cotilla y muy dispuesta; femenina y quejica de lo mal que la trataban sus primos, a los que admiraba, y su hermano. Era precoz, lista y evidentemente sensual y sexual, aunque a su corta edad era más lo primero que lo segundo. «Una femenina», como diría Mónica en su primera infancia cuando quería despreciar a otra niña, que bien podía ser su hermana Beatriz. El haber hecho un pequeño papel en una película de Pedro Almodóvar, *Carne trémula*, que sucedía en la sierra madrileña, después de que la eligieran en su escuela, le hacía comportarse con la vanidad y la superioridad de una pequeña diva.

Para abreviar: Pilar se llevó a los chicos y a Mónica a su casa de Alcalá, primero porque eran sus «adorados» sobrinos y quería estar con ellos, siempre y cuando yo les permitiera hacerlo, y, segundo, para dejarme trabajar a mí, pobrecita-escritora-viejecita-cansada... e invadida.

He de decir, en honor a la verdad, que aquéllas fueron las primeras vacaciones de mi vida, sola, absolutamente sola, con la nevera llena y sin tener que pensar en la vulgaridad de comidas, lavadoras, cenas, desayunos, plancha, dinero... Estuve dos días sin salir de casa y sin mirar el reloj; luego, y sin nervios, entré en la habitación de mis nietos, que era como un «hospital robado» y empecé a recoger y a ordenar, pero con pausas, fumándome un pitillo y tomándome una cerveza, todo ello mientras entonaba una a modo de letanía en la que me decía a mí misma que los educaba muy mal, que contravenía mis propias ideas sobre la educación y que lo estaba haciendo peor aún que con mis hijos. Pero luego, y como era un monólogo, me decía que también entonces alimentaba a mis hijos de forma muy racional y estudiada —hacía menús aconsejados por un especialista en nutrición infantil en el diario *Pueblo*—, y ninguno llegó al metro ochenta, ni fueron atletas ni licenciados y, ni siquiera «peritos en lunas» como diría el poeta.

En pocos días, los que quedaban de fiestas, pasó de todo: los chicos no protestaban, pero gasté un dineral en mandarles comida, sobre todo carne, pues cuando venía a Madrid, y lo hacía a menudo, Mónica me contaba el sistema de compra de Pilar, que no era otro que el que yo conocía de cuando vivían todos juntos, bien en Padilla, bien en Guadarrama. A veces no había ni lo justo para empezar el día con los desayunos y mucho menos con las comidas, las meriendas y las cenas. Mis nietos eran carnívoros y frutícolas, sobre todo el pequeño, y estaban «enganchados» a la leche y al cacao en polvo como si fuera su soma, y perdonadme si parodio a Huxley en su *Mundo feliz* (pero es uno de mis libros de cabecera y que he de comprar ya para mis nietos, aunque la ficción lo ha sobrepasado en las series televisivas y en los compactos de la Play Station, pero no en el fondo, sino en la forma. La filosofía del soma, da igual que se llame cacao, coca-cola, acuarius o chuches, ricas de sabor, que se fabrican a partir de los residuos del petróleo, sigue siendo válida, aunque ellos no la conozcan como tal).

Me tenía un tanto mosca la bondad de Pilar; siempre me ha pasado con las personas malas e inconscientes cuando se muestran bondadosas y dubitativas, y ella lo estaba: con mis nietos, con Mónica y conmigo no, porque no la dejaba. Así que me puse en guardia. Su ex primer marido me llamó, como tenía por costumbre desde que murieran los padres de mis nietos, para anunciarme que su abogado había hablado con el administrador y éste le había dicho que la venta era posible; ya se había hablado con los inquilinos y hasta me dio una cifra. Pilar, de acuerdo. Era algo así, tan puntual como los partes de guerra. Yo insistía en la minoría de edad de mis chicos y en que la jueza de tutela era la que habría de decir sí o no para poder vender. También recalqué que no iba a ir con su abogado porque tenía el mío, mi querido y viejo amigo Rafael de la Pezuela, y mi amiga Concha Anechina, que me habían llevado siempre mis muchos temas con los tribunales y a los que nunca pagué un duro —«justo es —le decía—, que ahora, si hay una peseta que ganar, sea para ellos»—. En resumen, mostraba demasiado interés por unos bienes que eran de su hijo, mayor de edad, y Pilar seguía en sus trece de que ella era la única usufructuaria. En la primera reunión, celebrada en los primeros días de febrero, en el despacho del abogado del ex de Pilar, nos encontramos con la sorpresa de que la persona que estaba allí y por la cual tuvimos que esperar, no era otra que Pilar, que debió hablar largo y tendido con él antes de que llegáramos nosotros; también esperaban, o no sé si llegaron después, el ex y su hijo. Nos saludamos cortésmente y nada más entrar en la sala se notó un ambiente de incomodidad, como si se hubieran hecho dos bandos, el de los buenos, que eran ellos, y el de los malos, nosotros. Lo llevaban todo atado y bien atado, con cifras y el ofrecimiento por parte de Pilar, que ya me había transmitido su ex, de dividir todo en cinco partes... ¿para favorecer a sus sobrinos? No pude por menos que intervenir para decirle que no me lo creía, pues no había demostrado ningún interés por ellos en estos años, sino bien al contrario. Claro que todo cambió cuando Concha, que se había estudiado a fondo los papeles de la dichosa herencia, declaró que mis nietos eran los herederos del usufructo de su difunto padre, por lo cual el propio abogado de ellos recogió velas, encargó al joven Alberto para que fuera a recoger el original del testamento de su abuelo y se decidió que tendríamos otra reunión en breve, porque «puede que la compañera tenga razón». Al día siguiente consulté con mi amigo el notario, quien me dijo que, en efecto, así era. A mí, en el fondo, lo que me importaba era, aparte de que prevaleciera la verdad, lavar en cierto modo los muchos ultrajes que había recibido mi hija de parte de aquella familia, en especial de su cuñada.

No comenté nada con los chicos porque no creía que viniera al caso y seguí con mi lema de que las diferencias entre los adultos no deben enturbiar las relaciones de los niños con sus familiares, y en este caso la tía Pitu era el único pariente cercano que tenían por parte de su padre. Aparte de que estábamos construyendo castillos en el aire, pues la última palabra la tendría la jueza de menores que vigilaba la tutoría de mis nietos y sería quien daría el permiso, si procedía, para que se realizara cualquier transacción con los bienes que el abuelo les había dejado, y lo mismo le pasaría a Pilar con su hijo menor, Álvaro.

Lo que quedó bien claro fue que los fines de cada una eran bien distintos: yo quería morirme tranquila dejando a mis nietos su situación económica arreglada, porque por ley de vida se trataba de unos niños destinados a vivir solos y mi deseo era que empleasen ese dinero en viajar, ir a estudiar fuera de España, aprender idiomas y convertirse en ciudadanos del mundo; sería la mejor herencia que podía dejarles. Lo que hicieran los demás no era de mi incumbencia.

Llegó a mis oídos, porque a su vez Hugo se lo oyó decir a su tía Pitu, que él, por ser el mayor de la familia que llevaba el nombre de sus antepasados vía paterna, tenía derecho a un título de marqués, y Hugo, que tiene tantos pájaros en la cabeza como tenía su padre y un desmedido orgullo que le hace presumir de lo que de momento no tiene aunque algún día sea posible que sí, se dedicó a darse importancia con sus amigos y compañeros de colegio, diciéndoles a todos que iba a ser marqués. Le llamé a capítulo y le reprendí seriamente porque no me gustaba que alardeara de algo que aún estaba por probar y que, además, no servía para nada más que gastar ingentes sumas de dinero si algún día, en caso de que fuera cierto, llegaba a acceder a un título nobiliario. «Mira, querido nieto, no hay nada más ridículo que un noble arruinado, y es lo que tú serías. Lo del marquesado sólo te serviría para bordarte una coronita de marqués en las camisas, prendas que por cierto no son muy de tu agrado, así que no quiero enterarme que vas por ahí presumiendo de semejantes chorradas...» Como siempre, protestó un poco y luego le salió su sonrisa de niño travieso que ha sido sorprendido en un farol absurdo. En estas ocasiones me recuerda mucho a su padre, que era muy clasista y demasiado orgulloso de su apellido, que lo pronunciaba en sus buenos tiempos, con el mismo tono que si añadiera: «¡Cuidado que soy diferente!» «Las únicas diferencias y el único clasismo que admito —le decía a mi nieto—, es la superioridad intelectual, y ésa es la que tienes que conseguir.»

Nada más empezar el nuevo trimestre Hugo hizo las segundas pellas de su vida escolar; las primeras fueron en Cercedilla y tuvieron cierta explicación porque se fue a pescar a un riachuelo, crecido por el deshielo, y terminó, con otros chicos, en el pueblo más cercano; como eran muy pequeños, el susto fue morrocotudo. Las segundas habían sido muy recientes y, además, acompañado por su íntimo amigo Carlos, un niño que aún siendo inteligente y buen estudiante, no era auténtico, quizá debido a sus circunstancias personales: hijo de una madre progresista que había elegido la soltería sin ser luego muy consecuente con ella ni con el chico de esta situación, en ambos se daban contradicciones de toda clase. No me gustaba, en fin, porque era un personaje, el hijo, de los que tiran la piedra y esconden la mano, y así opinaban algunos profesores y padres de otros compañeros. Bueno, pues a eso de las diez de la mañana llamaban del colegio para preguntar por mi nieto. «Ha salido alrededor de las ocho, y creo que iba con Carlos.» A los pocos minutos me llamaban Regina y Amparo y todos los profesores del colegio. Empezamos a ponernos nerviosos, ellos y yo. Llamó también la madre del chico, que sobreestimaba a su hijo en muchas cosas y entre otras en creer que él nunca era culpable y sí los amigos. En este caso, como ya había manifestado en otras ocasiones, la amistad de su hijo con mi nieto era perjudicial —algo en lo que estábamos de acuerdo pero cambiando el orden de factores—. En una segunda llamada de la madre, que se intercalaba con las del colegio, me dijo que creía que estaban en su casa porque había abandonado un momento el trabajo, se había pasado por allí y había encontrado huellas de la presencia de los «fugitivos». Llamé y le dejé un mensaje tan duro a Hugo, que por temor decidió no volver hasta las seis de la tarde. Mi preocupación iba en aumento a medida que pasaba el tiempo e imaginaba los mil peligros que acechan a un adolescente en una ciudad como Madrid. Había, además, un detalle que no me gustaba nada: tanto Carlos —así me lo había dicho su madre—, como mi nieto nos habían pedido algún dinero, no recuerdo para qué. Tenía auténtico miedo, hasta el punto de que cuando llegó lo metí en mi despacho, lo senté y le llamé de usted, como acostumbraba hacer con mis hijos cuando hacían alguna fechoría de este tipo. Se quedó muy impresionado, por eso y por mi tono de voz que al parecer puede ser terrible, y al fin me explicó sus andanzas desde las ocho de la mañana hasta las seis de la tarde. Era tan sencillo como que, animado por su amigo Carlos, decidieron que ya que no tenían nada importante que hacer en el colegio, podían aprovechar para ir al club de fútbol de un barrio que se llama La Elipa y hacerse socios (lo tenían planeado, pues, y para eso querían el dinero). Hice esfuerzos para no reírme, y más cuando me explicó que desde las cuatro estaban en casa de Carlos pero que había oído mi mensaje y había tenido miedo. Le expliqué el compromiso en que nos ponía a los profesores y a mí; a ellos porque eran sus responsables durante el horario de clase, y a mí por ser su tutora. Si a él le hubiera pasado algo hasta podrían habernos metido en la cárcel. Se llevó tal susto, y en el fondo se aburrió tanto, que no creo que vuelva a hacer pellas, al menos por un tiempo... Luego, para distender un poco el ambiente le confesé que yo también las había hecho a sus años, pero cuando llegaba el buen tiempo, y me iba con mis compañeras —entonces la enseñanza no era mixta como ahora— y algunos niños del colegio de enfrente a remar al Retiro o a pasear, e incluso hasta algún cine de función matinal, pero con el frío que hacía aquel día y con Carlos... ¡vaya plan!, ¿no?

Con pequeños sucesos como éste me daba cuenta de lo difícil que es educar, máxime a mi edad y sin figura de varón, en esta sociedad machista en la que vivimos —han cambiado muy poco las cosas desde mi primera maternidad—. Menos mal que la ayuda del colegio era importante, pues cuando Hugo volvió al día siguiente, temeroso de que le expulsaran al menos por un día, sólo le dijeron: «De ti nunca nos lo hubiéramos imaginado; de Carlos, sí.» Me tranquilicé, porque la realidad es que Hugo es un chico bastante responsable para su edad.

No lo es tanto para otras cosas, como así tampoco su hermano. Les veo hechos unos hombrecitos, en plena adolescencia, con la cara cubierta de puntos negros y acné, les llevo periódicamente al médico porque hoy les duele una pierna y mañana una mano y otro día un pie y siempre me dicen lo mismo: están creciendo, pero están muy bien, muy sanos y con un desarrollo satisfactorio y como les llaman muchas niñas por teléfono y me apercibo de sus actividades sexuales, aquello que antes llamaban el «vicio solitario» y observo sus largas piernas cubiertas de vello y otras señales que anuncian la pubertad, en cuanto puedo intento hablar con ellos de sexo, de enfermedades de transmisión sexual y de prevención. Ellos eluden los anuncios, pero no las imágenes de hermosas muchachas desnudas que ahora, y no sé por qué, salen por cualquier motivo, hasta para promocionar un queso, en la televisión.

Es muy divertida la guerra de las revistas porno que nos traemos Hugo y yo y que me hace acordar a cuando mi hijo Gonzalo tenía la misma edad; él las compra y las esconde en los sitios más insólitos —al principio era debajo del colchón—, yo se las cojo y se las tiro a la basura; luego le veo buscando, y cuando le pregunto qué es lo que busca me dice: nada. Así que un día que estaba yo leyendo un informe de la OMS en el que se alertaba a los adolescentes sobre la aparición de casos de VIH en este sector de la población y se decía que ello tal vez se debiese a que la información no era lo bastante directa, me preguntó, como siempre que viene del colegio y me ve sentada a mi mesa escribiendo o leyendo:

—¿Qué haces abuela?

—Leyendo este informe de la OMS —respondí, y se lo alargué para que lo leyera. Me lo devolvió después de haberlo leído y me dijo:

—Bueno, ¿y qué?; yo no pienso hacer nada hasta que no me case.

—¡Pero, Hugo, cómo puede contestar así un chico de tu edad, me parece estar oyendo hablar a mi hermano, o aun más si quieres, a mi padre! ¿Quién te ha metido esas ideas en la cabeza?

—El padre Oliver...

—¡No me lo puedo creer! Ahora mismo le llamo —dije, y cogí el teléfono.

—¡No, no le llames abuela, por favor! No ha sido él; es que yo pienso así.

Cuando se levantó para irse, le dije:

—¡Ah, por cierto!, respeto lo que me acabas de decir, pero como creo que eres muy joven y lo de casarse está muy lejos, eso suponiendo que te cases, te digo que aquí en el cajón de mi mesa tengo preservativos que me regalaron no hace mucho en una fiesta de presentación de una asociación que se llama Madrid Positivo... Por si te hacen falta, vamos, aunque ya sabes que tienen fecha de caducidad y si no supongo que también sabrás que hay máquinas que los venden introduciendo unas monedas...

—¡Abuela!, qué cosas me dices. No conozco a ninguna abuela que le hable así a sus nietos.

—Pequeño, es fruto de la experiencia y de esta que yo llamo mi segunda maternidad; cuando tu tío Gonzalo tenía tu edad, le rogaba a mi hermano o a algún amigo que hablara con él de estas cosas, pero ya ves, ahora y a mis años no me da ninguna vergüenza decírtelas a ti o a tu hermano, cuando llegue el momento, y yo creo que va a ser en breve. ¿No has dicho que soy todo para ti: tu abuela, tu abuelo, tu padre y tu madre?, pues como a mi pesar veo que eres muy machista, imagínate que te hablo como tu abuelo y como tu padre... Si quieres me pongo bigote y barba.

A modo de epílogo: aquí está el diario de los casi cuatro años de mi vida de abuela-madre. Los chicos me dan mucho trabajo, son muy desordenados, malos estudiantes, traviesos, crecen tanto que no doy abasto para comprarles ropa, comen como limas y no me dejan en paz, pero... los adoro, y cuando enferman, aunque sea de una simple gripe, no concilio el sueño. Vivir sin ellos es insoportable, y si pasan un fin de semana fuera, las primeras horas me siento cómoda sola; a las pocas, los añoro, y temo, porque se hacen mayores muy velozmente y pronto, porque es ley de vida, volarán. Ahora me siento más egoísta de su tiempo que antes del de mis hijos. Son los años, no me cabe ninguna duda, y a veces, cuando me encuentro mal —lo que ni siquiera les digo para no crearles un estado de angustia—, me impongo el estar buena al minuto, porque mi tiempo es precioso y... limitado, aunque como buena aries soy muy tenaz y cabezota y he decidido, con el permiso de Dios, llegar a centenaria en pleno uso de mis facultades mentales y físicas. Creo que no voy a tener más remedio que dejar de fumar. Espero no haberles aburrido, porque es cierto que se me cae la baba con mis niños y a veces me pongo muy pesada. Disculpen, por favor, a esta abuela-madre que ha encontrado un motivo para seguir en la brecha en la mirada de estos cuatro preciosos y queridos ojos azules, a través de los cuales veo sus almas puras y aún inmaculadas.

En Madrid a 7 de febrero de 1999

Este libro ha sido impreso
en los talleres de
Printer Industria Gráfica, S. A.
San Vicenç dels Horts (Barcelona)

FREEPORT MEMORIAL LIBRARY
3 1489 00442 7496

DISCARDED BY
FREEPORT
MEMORIAL LIBRARY

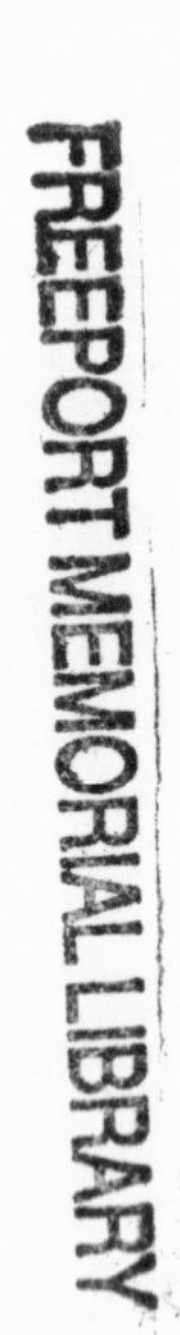
FREEPORT MEMORIAL LIBRARY